Сокровища
Российской
империи

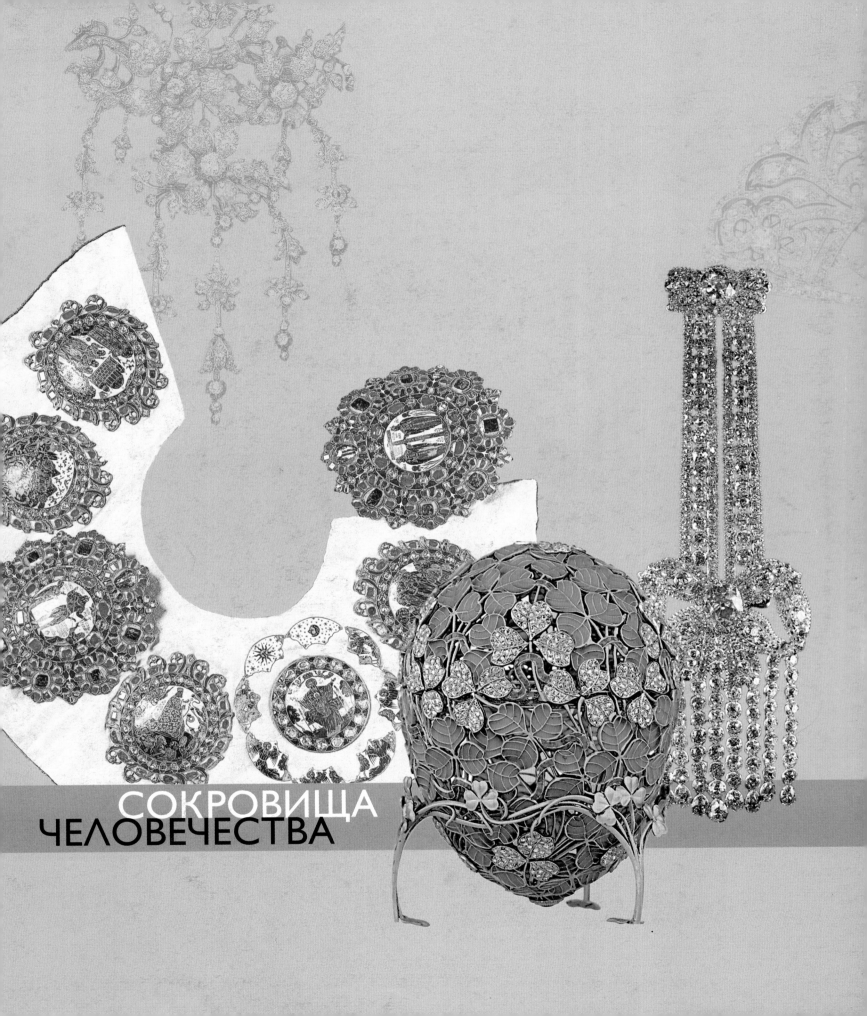

СОКРОВИЩА
ЧЕЛОВЕЧЕСТВА

Сокровища Российской империи

ОЛМА МЕДИА ГРУПП

МОСКВА
2013

УДК 94 (47)
ББК 63.3 (2) 6-7
Г65

РОССИЙСКОЕ ВОЕННО-ИСТОРИЧЕСКОЕ ОБЩЕСТВО

В целях содействия изучению истории книга рекомендована
Российским военно-историческим обществом

Заведующая редакцией	А. Голосовская
Дизайн и макет	Т. Евсеевой
Ответственный редактор	А. Русакова

Гончарова И. И., Гореликова-Голенко Е. Н.

Г65   Сокровища Российской империи/Гончарова И. И.,
Гореликова-Голенко Е. Н. — М. : ОЛМА Медиа Групп, 2013. —
141, [3] с. : ил. — (Сокровища человечества).

ISBN 978-5-373-05337-2

Российский императорский двор справедливо считался одним из
богатейших монархических дворов Европы. Колоссальные богатства русских царей и императоров демонстрировались во время коронационных торжеств и повседневных церемоний в императорских резиденциях, став в прямом смысле слова символом России.
Усыпанные драгоценностями русские аристократки также сделались неотъемлемой частью имиджа российской монархии.

В этой книге вы прочтете о государственных регалиях, о личных
драгоценностях русских монархов начиная с шапки Мономаха и заканчивая великолепными творениями Карла Фаберже. Вы найдете
ответы на вопросы, кто создавал всю эту роскошь, где хранились сокровища Российской империи, как менялась мода на украшения на
протяжении 300-летней истории династии Романовых.

Книга написана специалистами Алмазного фонда, искусствоведами,
историками. Богато иллюстрированные научно-популярные статьи предназначены для широкого круга читателей.

УДК 94(47)
ББК 63.3 (2) 6-7

ISBN 978-5-373-05337-2

К читателю

Родоначальник династии Романовых Михаил Федорович был избран царем всея Руси 21 февраля 1613 г. на Земском соборе — как в те времена считалось, всем народом. Было ему в ту пору 16 лет. Почему избрали именно его? К началу XVII в. монархия на Русской земле существовала уже почти 600 лет, и во главе государства находились практически неизменно, с небольшими исключениями, представители рода Рюриковичей. Эта линия пресеклась со смертью царя Федора Ивановича в 1598 г. Романовы — ближайшие родственники Рюриковичей. К этому роду принадлежала Анастасия Романова, первая и любимая супруга Ивана Грозного, предпоследнего из Рюриковичей. Отец Михаила Романова — патриарх Филарет (Федор Никитич Романов) пользовался всеобщим уважением. Наконец, сам юный Михаил Романов не запятнал себя связями с поляками в Смутное время. Но главной причиной, конечно, была близость к пресекшейся династии Рюриковичей.

Время показало, что Земский собор не ошибся. Новая династия за 300 с небольшим лет правления сделала для государства очень много. Все помнят о грандиозном переустройстве страны при Петре Великом, о приращении территорий при Екатерине II, о торжестве русской науки, искусства, литературы в XIX в. При Романовых Россия стала империей, занимающей шестую часть земной суши. При них сложился и образ этой империи, соединивший в себе византийскую пышность с европейской элегантностью. При них окончательно оформились традиции и ритуалы, выкристаллизовался придворный этикет. Наконец, представители этой династии и как олицетворение власти, и как частные лица владели сказочными сокровищами. Государственные регалии, орденские знаки, личные драгоценности императоров и императриц имеют огромную историческую и художественную ценность. И хотя уже почти сто лет Романовы не правят в России, и не осталось почти никого из Романовых, кто имел бы наследные права на престол, у большинства жителей России императорская власть ассоциируется с достоинством, благородством, истовым служением Родине.

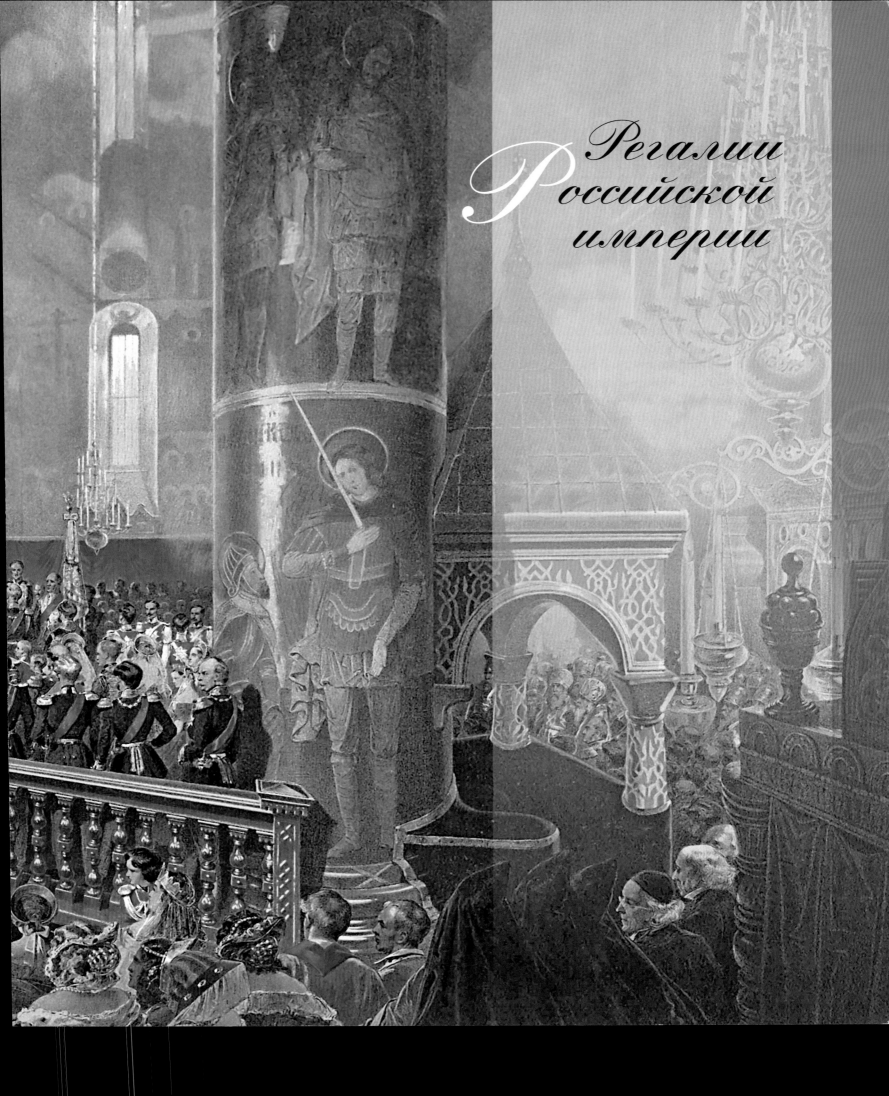

Регалии Российской империи

ВЕНЧАНИЯ И КОРОНАЦИИ РУССКИХ ЦАРЕЙ И ИМПЕРАТОРОВ

Важнейшим моментом в жизни любого монарха является венчание на царство, коронация. Процедура вступления во власть, основанная на обычаях предков и религиозных традициях, должна выглядеть безупречно с точки зрения законов государства. Церемония восшествия на престол всегда оформлялась как можно более пышно. Освящение власти, придание ей божественного статуса становилось торжественным, очень красивым и запоминающимся праздником, словно бы наперед искупляющим будущие сложности, жестокости и неприятности правления.

Коронационная мантия императрицы Александры Федоровны. 1896 г.

В России на протяжении столетий новый государь демонстрировал законность своей власти выборными процедурами, а также соблюдением вековых, еще византийских традиций «поставления» на престол. Каноны для проведения венчания на царство сложились в России в XV—XVI вв. Они намеренно подчеркивали божественное происхождение власти и преемственность ее от византийских василевсов. Венчание на царство, а впоследствии — коронация представляли собой процедуру принятия монархом священных символов власти государства, которым ему надлежало править.

Регалии Российской империи.

Инсигнии (регалии) создавали по заказу правителей лучшие русские и иностранные мастера. Их почитали и хранили, использовали же только в особых случаях: во время «поставления» нового государя, а также для того, чтобы произвести впечатление на иноземных послов и гостей и, конечно, на собственных подданных, например в дни больших церковных праздников. Регалии сопровождали государя и при его погребении.

Везде в мире такие церемонии проводились чрезвычайно торжественно. Строго регламентировалась одежда присутствующих, в том числе и самого

нового правителя. Государь надевал роскошное, длинное, богато украшенное парадное платье (платно), чаще всего из золотой парчи с кружевом, вышитым воротником, золотыми пуговицами. Затем самые уважаемые лица государства и церковные иерархи передавали царю особые предметы — инсигнии, или регалии, символизирующие преемственность его власти от предшественников — законных правителей Руси. Они, в свою очередь, получили и эти предметы, и сами традиции православной власти от византийских императоров.

Инсигнии (Insignia regia) — знаки царской власти в различных государствах были неодинаковы: венцы и короны, троны, части одеяния — лоры, бармы, пояса, оружие, а также коронационная обувь... В России при одних государях в состав регалий входили мечи, щиты, бармы, венцы; при других — мантии, короны, скипетры, державы, печати и гербы. Их состав менялся в соответствии с политической ситуацией, с волей монарха, его взглядами на власть, на государство, на историю.

Некоторые историки считают, что первая коронация правителя Руси состоялась в X в., после того как в Византии крестили княгиню Ольгу. Русь еще оставалась языческой. Но приезд Ольги

в Константинополь и обряд крещения были продуманы и подготовлены. Нет у летописцев и исследователей точного представления, кто проводил крещение: сам Константин VII вместе с патриархом Феофилактом или сын и соправитель Константина Роман II и патриарх Полиевкт. И хотя в своей книге, рассказывая о приездах и крещении русской княгини, Константин не упоминает о ее коронации, однако он совершенно определенно называет Ольгу царицей (королевой) и правительницей россов. А поскольку в Византии русских князей царями признавали неохотно, то можно предположить, что император провел коронацию сам, возложив на Ольгу камилавку — головной убор византийских императоров.

Камилавка (скиадий) наследников византийских императоров представляла собой шапку с золотым обручем и меховой опушкой, иногда на прочной основе. Впоследствии камилавки стали наградными церковными шапочками, но выглядели уже иначе.

«Общий гербовник дворянских родов Российской империи» — свод гербов российских дворянских родов, учрежден указом императора Павла I от 20 января 1797 г. 20 томов гербовника включают 3066 родовых и несколько личных гербов.

«Книга об избрании на превысочайший престол великого российского царства великого государя царя, великого князя Михаила Федоровича». 1672—1673 гг.

Родословное древо русских государей. Художник И. Никитин. 1731 г.

Следующим этапом в формировании традиции коронования можно считать легендарное венчание великого князя Владимира II в XII в., которое литературные памятники и устные предания связывают с присланными из Византии регалиями Константина Мономаха. Митрополит Неофит возложил на русского князя бармы, цепь и «корону».

В документах XIV в. впервые встречаются упоминания о конкретных бармах — «оплечье» как обязательной детали парадного одеяния князя. В своей духовной грамоте московский князь Иван I Калита в 1328 г. завещал бармы сыну вместе со всем своим имуществом.

Первое венчание на княжеский престол, зафиксированное летописными источниками, провел великий князь Иван III над своим внуком Дмитрием в 1498 г. Сам Иван III, при котором завер-

шилось объединение земель вокруг Москвы, был «посажен на престол» по старинным обычаям, а Дмитрия венчал в качестве наследника московского престола. И кульминационным моментом «поставления» явилось возложение главных княжеских регалий — барм и венца[1]. Сын Ивана III и Софии Палеолог, будущий великий князь Василий III, не венчался. Не венчался первоначально и его наследник, малолетний Иван IV.

В России «помазание елеем», или миром, совершалось уже после передачи регалий. Таким образом, церковное таинство помазания на царство приобретало двойное значение: с одной стороны, оно демонстрировало, что наделенный властью царь (а впоследствии и император) посвящает свою деятельность Богу; с другой — что государь, «помазанник Божий», становится проводником Божественных сил и знаний, наместником Бога на земле.

Ковчег-мощевик с иконой святых Константина и Елены с крестом Животворящего древа. Первая треть XVII в.

И только в 1547 г., уже 16-летним, Иван IV, приняв титул царя всея Руси, заявил о решении провести официальную церемонию, соответствующую древнему византийскому чину венчания на царство. Обряд совершил глава Русской церкви митрополит Макарий. А еще позднее, в 1561 г., Иван IV Грозный получил книгу о правилах венчания ви-

Венчание на царство Ивана IV. Миниатюра из Лицевого летописного свода. XVI в.

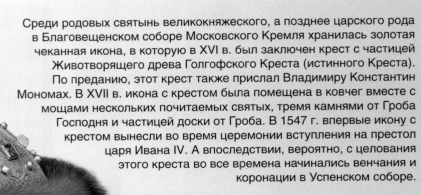

Среди родовых святынь великокняжеского, а позднее царского рода в Благовещенском соборе Московского Кремля хранилась золотая чеканная икона, в которую в XVI в. был заключен крест с частицей Животворящего древа Голгофского Креста (истинного Креста). По преданию, этот крест также прислал Владимиру Константин Мономах. В XVII в. икона с крестом была помещена в ковчег вместе с мощами нескольких почитаемых святых, тремя камнями от Гроба Господня и частицей доски от Гроба. В 1547 г. впервые икону с крестом вынесли во время церемонии вступления на престол царя Ивана IV. А впоследствии, вероятно, с целования этого креста во все времена начинались венчания и коронации в Успенском соборе.

Шапка Мономаха.

зантийских царей, где говорилось что венчанию должен предшествовать обряд помазания. На основе этих правил митрополит Макарий составил чин венчания, где нашлось место обряду миропомазания. С этого момента все венчания на царство (позднее — коронации) в России проводились по единому сценарию.

Во время венчания царь прикладывался к Животворящему Кресту Господню, на него возлагали бармы, цепь, древний венец — шапку Мономаха. Еще со времен Ивана III символы власти, «дары Константина Мономаха», обретают особый смысл. Происхождение этих регалий ясно не до конца. Но над этим не задумывались, столетиями считая, что их привезла из Константинополя супруга Ивана III. Во всяком случае, все последующие венчания вплоть до момента, когда Россия стала империей, проводились с использованием этих регалий.

Бармы, которыми венчались первые русские цари, до наших дней не дошли. А вот Крест и шапка Мономаха, бережно хранимые поколениями русских князей и царей, и сегодня находятся в Московском Кремле.

Специалисты датируют шапку Мономаха концом XIII — началом XIV в. О месте ее создания до сих пор спорят ученые. Вероятнее всего, это все же не византийская работа, как считалось ранее, а изделие золотоордынских мастеров[2]. Шапка состоит из восьми золотых пластин, украшенных виртуознейшей филигранью, жемчугом и крупными самоцветами. Не зная точно, кем и когда выполнялась эта вещь, невозможно сказать, какую смысловую нагрузку несут ее отдельные детали. Мы можем лишь предположить, что столь высокого уровня работа древних мастеров, несомненно, наполнена и идеологическим содержанием.

X. Вайгель. Портрет царя Ивана IV Грозного. XVI в.

Средневековые короны часто имеют восьмичастное деление — это знак мудрости, символ бесконечной, вечной жизни. Драгоценные камни, их состав, размер, цвет — как правило, также зашифрованные послания из глубины веков, которые современники читали с легкостью. Вес шапки Мономаха — 993,66 г. В хранящейся в архиве Оружейной палаты подробной описи царской казны от 1696 г. читаем: «Шапка царская золота, сканая. Мономахова, на ней крест золотой гладкий, на нем по концам и в исподи четыре зерна гурмицких, да в ней каменья, в золотых гнездах: над яблоком, яхонт желтый, яхонт лазоревый, лал, промеж ними три зерна гурмыцких; да на ней четыре изумруда, два лала, две коры яхонтовых, в золотых гнездах, двадцать пять зерен гурмицких, на золотых спнях; около соболей: подложена атласом червчатым: влагалище деревянное, оклеено бархателью травчатою, закладки и крючки серебряны».

Венчание на царство царя Михаила Федоровича в Успенском соборе. 1672 г.

Шапка Казанская. 1553 г.

Шапка Казанская. 1553 г. Художник Ф. Г. Солнцев. XIX в.

странах существовало очень четкое разграничение венцов (корон) королей и наследников-принцев. Королевские короны обычно были так называемого закрытого типа, а короны принцев представляли собой обруч с зубцами.

К регалиям Ивана Грозного, однако, тоже причислена «шапка». К моменту его венчания уже сложилось и было прочно усвоено предание о «дарах Константина». Поэтому в шапке Мономаха соединились два представления — о реальной

Многочисленные иноземные гости поражались богатству русского государя. «В жизнь мою не видел я вещей драгоценнейших и прекраснейших. В минувшем году видел я короны и митры святейшего нашего господина... Видел корону и все одеяния короля католического... видел многие украшения короля Франции и его императорского величества как в Венгерском королевстве, так и в Богемии и других местах. Поверьте же мне, что все сие ни в малейшей степени сравниться не может с тем, что я здесь видел», — писал посол германского императора Максимилиана II Иоганн Кобенцель, посетивший Москву в 1576 г.

«Венчание» происходит от слова «венец». Но шапка Мономаха на венец походит мало. И при первых венчаниях венцом ее не называли. В разряд регалий по чину венчания Дмитрия отнесли именно «шапку», причем безымянную. Дело в том, что самодержец в Византии в качестве символа царского сана получал венец, а вот наследник — как раз шапку (камилавку). Дмитрия и венчали как наследника престола[3]. И в легенде о княгине Ольге речь тоже идет не о венце, а о камилавке.

Судя по портретным изображениям, у русских царей, в частности у Ивана Грозного, имелись и «шапки», и короны, т. е. венцы в общепринятом понимании. Во второй половине XVI — первой половине XVII в. в европейских странах, особенно северных, например в Швеции, было принято носить венцы поверх меховой шапки. А в некоторых

инсигнии и о легендарном царском венце. Со временем, когда чин венчания привели в более строгое соответствие с византийскими обрядами, шапкой Мономаха венчали на царство, а затем царь переоблачался в другой, как правило, лично для него созданный венец.

Большинство шапок и венцов, которые использовались до XVII в. в случаях, когда государю необходимо было подчеркнуть свой сан, не сохранилось. Однако в Оружейной палате хранится еще один венец, связанный с именем Ивана Грозного, — шапка Казанская, напоминающая о ратном подвиге, результатом которого стало присоединение Казанского ханства к России в 1552 г. В первых описях Оружейной палаты приводится легенда, будто шапка эта принадлежала последнему казанскому хану Едигеру Магмеду (Мехмеду). Однако несомненно, что она — произведение кремлевских мастеров. И хотя не исключено, что в ее изготовлении принимали участие восточные златокузнецы, образцом, бесспорно, послужила древняя шапка Мономаха. Тончайшая работа, великолепные камни... Перед нами один из прекраснейших венцов русских царей, жемчужина государевой сокровищницы.

Шапка Мономаха использовалась при «поставлении» всех русских государей — с венчания Ивана IV в 1547 г. до двойного венчания Ивана и Петра Алексеевичей в 1682 г.[4] Но и после изменения чина венчания на принятый в Европе обряд коронации она не утратила своего значения первой регалии. В период империи этот почетнейший древний символ государства выносили на золотой подушечке «как главную достопамятность царского достоинства и при коронациях, и при погребении императоров»[5].

Второй традиционный для древних правителей символ власти — скипетр — появился на Руси, по всей видимости,

тоже при Иване Грозном. Олицетворяющий посох в руке Зевса (Юпитера), он символизирует управление государством, руководство народом как паствой. В то же время в скипетрах многих государей, как европейских, так и восточных, просматривается видоизмененная форма грозного оружия — булавы. И скипетр, следовательно, — знак не только политической, но и военной власти. Вручали ли Ивану IV скипетр во время венчания, точно неизвестно. Впрочем, некоторые авторы цитируют источники, где говорится, что при венчании царю подали помимо принятых регалий и «скипетр, чтобы править хоругви Великого Русского Царства»[6]. Так или иначе, но именно при Иване Грозном скипетр был включен в состав обязательных регалий, наравне с шапкой Мономаха и бармами.

Царские жезлы и посохи. Художник Ф. Г. Солнцев. XIX в.

В представлении средневекового русского человека образ царя ассоциировался с еще одним царским символом — посохом. И хотя в разряд регалий, по-видимому, посох не вошел, многие государи от него не отказались. В Оружейной палате хранятся богато украшенные царские посохи. Именно посох как знак царского сана принял от послов Земского собора избранный царь Михаил Романов. В Кремле помимо царских посохов хранятся посохи церковных иерархов и даже посохи герольдов, они имеют разные навершия.

Успенский собор Московского Кремля.

Трон царя Ивана IV Грозного. XVI в.

Неизвестный художник. Портрет царя Бориса Годунова. Середина XVIII в.

После смерти последнего Рюриковича, царя Федора Иоанновича, из его рук скипетр «подхватил» Борис Годунов. Именно ему, а также еще одному венчанному монарху, Лжедмитрию I, мы обязаны появлением в церемонии «поставления» державы (как тогда говорили, «государева яблока») — символа духовной власти монарха. Зная, какое огромное значение придавалось регалиям еще со времен великих московских князей, можно предположить, что эти вещи не пережили Смутного времени начала XVII в., когда московская казна была полностью разграблена. Тогда же пропала известная нам по портретам австрийская, или московитская, корона.

До нас дошел трон Ивана Грозного, известный по описаниям как «стул костяной», «резное кресло». Специалисты Оружейной палаты считают, что он изготовлен западноевропейскими мастерами в XVI в. По легенде же, его, как и многие другие ценности, привезла в Москву в качестве приданого София Палеолог, когда выходила замуж за великого князя Ивана III. Трон выполнен из дерева. Он представляет собой традиционное царское кресло с высокой спинкой, подлокотниками и изножьем. Подобные троны имелись не только у европейских королей, но, судя по описаниям, и у библейских царей. И наружная, и внутренняя поверхности трона выложены пластинами слоновой и моржовой кости с искусно выполненными рельефами на библейские и мифологические темы, изображениями птиц и зверей, с российским гербом, львом и единорогом на спинке. Трон неоднократно поновляли, например перед коронацией Александра II его украсили позолоченным серебряным двуглавым орлом.

По записям бывавших при русском дворе иностранцев известно, что в казне к моменту вступления на престол Михаила Федоровича Романова, в 1613 г., уже имелся какой-то скипетр[7]. Скипетр упоминается (возможно, не как реальный предмет, а как идея «скипетра державы», т. е. верховной государственной власти) еще и в молитве, которую читали во время венчания. Однако ни этот скипетр, ни держава, тоже известная по описаниям иностранных гостей с 1575 г., до наших дней не дошли.

Эту корону Самозванец считал подарком императора Священной Римской империи Рудольфа II. Но, вероятнее всего, ее изготовили для Бориса Годунова придворные мастера императора[8]. Ее видели при «тройном венчании» Лжедмитрия I: шапкой Мономаха, австрийской короной и шапкой Казанской. В какой-то «московитской короне», по свидетельствам очевидцев, любил ходить королевич Владислав, коронованный в 1610 г., причем чуть ли не до своего воцарения в Польше в 1633 г.

С именем Ивана Грозного связывают еще один замечательный трон, «чертог» или «царское место», по образу и подобию которого позднее не раз делали тронные кресла для русских государей. Это место для переоблачения царя в Успенском соборе. Выполнено оно из дерева и богато украшено великолепной позолоченной резьбой. Закрепившееся за креслом название «Мономахов трон» отражает представления XIX в., когда считали, что оно было изготовлено в Киеве для Владимира Мономаха. Сюжеты барельефов на троне и надписи в медальонах иллюстрируют известное тогда «Сказание о князьях Владимирских». Особенно интересны барельефы, посвященные венчанию Владимира Мономаха. В XVI в. они служили доказательством того, что чин венчания Ивана Грозного повторяет чин венчания Владимира, т. е. не искажает древних традиций. А тот, в свою очередь, списан с византийских образцов[9].

Царское место в Успенском соборе. Художник Ф. Г. Солнцев XIX в.

Интерьер Успенского собора Московского Кремля.

Впрочем, удивляться тут нечему. Странно скорее то, что уцелели другие предметы, и в первую очередь шапка Мономаха. И поэтому ее значение как «живой» древности, которую держали в руках московские князья, а возможно, и византийские императоры, ко времени избрания царем Михаила Романова еще больше возросло.

Как уже говорилось, состав регалий изменялся при разных правителях. Но был один предмет, без которого не могла обойтись ни одна коронация, хотя он и не причислялся к знакам царской власти. Это трон и тронное место, чаще всего на возвышении. Трон символизирует связь земного и небесного, человеческого и Божественного.

Все без исключения российские монархи, вплоть до последнего императора Николая II, венчались на царство в Успенском соборе Московского Кремля. Даже когда двор переехал

ли, а красное сукно передавали боярам и служителям Церкви.

В Византии красную ткань разрывали на мелкие куски и одаривали ими всех присутствовавших на коронации, в память о великом событии.

В Смутное время появился великолепный трон, который в описях и иных документах назван «престолом персидским с каменьем». Впервые его упоминают в чине венчания Марины Мнишек,

Составленное в XVI в. «Сказание о князьях Владимирских» отражает важную для власти того времени версию происхождения русской правящей династии. Ранее провозглашалось, что русские князья и цари происходят от Анны, сестры византийского императора Константина Багрянородного. А «Сказание о князьях Владимирских» называет московских царей прямыми потомками римского императора Октавиана Августа. Эту версию активно поддерживали в XVII в., хотя укоренилась ее вариация, гласившая, что Рюрик не являлся прямым наследником Августа, а только получил от него права на власть над территориями будущей Руси.

Молельное царское место Ивана Грозного (Мономахов трон) в Успенском соборе. 1551 г.

Трон Бориса Годунова. XVI в.

в новую столицу, Санкт-Петербург, на коронацию император с семьей, родными и свитой приезжали в Москву. По византийскому образцу перед алтарем в Успенском соборе выстраивали специальный аналой для регалий и помост, выстланный красной тканью. Этот помост и назывался троном или престолом. На помост ставили тронное кресло и парадное кресло для патриарха. После коронации помост разбира-

супруги Лжедмитрия I, в 1606 г. Это было первое венчание на русский престол царицы, при котором по уже установившейся традиции использовался крест; на царицу также возложили цепь, бармы и венец. В «поставлении» участвовали два трона, причем оба впервые, так как Лжедмитрий не стал садиться на трон своего «отца» Ивана Грозного. Для него специально изготовили трон, соединивший в себе древнерусские и европейские традиции. Отчасти в него даже включили элементы знаменитого Львиного трона библейского царя Соломона. Трон Самозванца известен нам только по описаниям. Судя по всему, из-за обилия золота и серебра он стал добычей интервентов. А трон, на котором сидела его жена, хранится в Кремлевских музеях. Это замечательное легкое переносное кресло с низкой спинкой, сделанное из дерева, обложенного тонкими полосами тисненого золота и украшенного крупными турмалинами, рубинами и бирюзой, было подарено Борису Годунову в 1604 г. Аббасом I, шахом Ирана.

КАК ВЕНЧАЛИ НА ЦАРСТВО НА РУСИ

О том, как проходило венчание на царство, равно как и обо всех важных церковных праздниках и приемах, проводимых в Кремле с участием царя, мы узнаём из выходных книг, в которых описана каждодневная жизнь двора, а также из чина венчания на царство. Чин венчания закреплял правила проведения всей процедуры «поставления» царя. Причем каждый раз вносились небольшие изменения. Окончательно сценарий проведения этой торжественной церемонии оформился лишь в конце XVII в., к моменту венчания на царство старшего сына Алексея Михайловича, царя Федора Алексеевича.

В предшествующий день во всех церквях и монастырях России молились за благополучие будущего царствования; вечерняя служба заканчивалась «празднованием всенощного бдения». Утро началось с благовеста. В Успенском соборе Московского Кремля бояре и думные дьяки готовили «вельми украшенное» чертожное место, «обволакивая его, 12 ступеней, к нему ведущие, и подходы дорогими сукнами из Государева казенного двора». Рядом соорудили специальные скамьи для церковных иерархов и покрыли их золотыми персидскими коврами. На чертожном месте царский стольник и стряпчие установили тронное кресло, а рядом — кресло патриарха, принесенное из ризницы. Перед ними казначей с дьяками возвели разновысотный аналой, «оболоченый атласом дорогим тюркским золотным по серебряной земле» для царских регалий. Патриарх, облаченный в «святительскую одежду», богато расшитую каменьями и жемчугом, сел на свое святительское место.

По завершении подготовки началась торжественная церемония венчания. В начале шестого часа утра государь, помолившись, приказал собраться в Грановитой палате всем уважаемым людям в парадном платье: в самых дорогих и строго предписанных одеждах. Оттуда царь послал на Казенный двор своего духовника за «царским чином»: Крестом Животворящим, бармами, золотыми цепями, шапкой Мономаха. Символы власти несли на «золотых блюдах под драгою пеленою, низаною с драгим каменем, с великою честию, со страхом и трепетом, и со всяким благочинием, и тихо и зело стройно». Процессия через Красное крыльцо вошла в Грановитую палату, где самодержец поцеловал Крест и бармы, а затем отправилась в Успенский собор. На Соборной площади собрался народ и под беспрестанный «звон великий» всех колоколов наблюдал за торжественным шествием царя со свитой, несущей регалии, в главный собор страны. У входа коронуемого встречал патриарх, «кадились» регалии (при этом казначей с помощниками внимательно следили за тем, чтобы даже случайно их никто не коснулся), кропился святою водою царский путь, читался молебен. На протяжении всего празднования певчие исполняли «многолетие царю». Царь целовал святые иконы, а все «со страхом, и трепетом, и со вниманием ожидали речи великого государя, царя и великого

князя». Далее государь исповедовал символ веры. После чего патриарх благословил потомка Рюрика и Владимира Мономаха и передал ему для переоблачения царскую одежду. После молитвы «Царь царствующих и Господь господствующих» со словами «яко Твоя держава, и Твое есть царство и сила» и «Мир всем» патриарх возложил регалии на царя и передал ему в правую руку скипетр, а в левую державу. Все присутствующие пели царю «многая лета», затем начались поздравления епископов. Царь благодарил; патриарх прочел ему наставления и поучения. У царских врат патриарх надел на шею государя златые цепи и призвал царя провести обряд миропомазания и причащения святых даров. «Бысть же тогда по всей церкви молчание велие, царскаго ради помазания, очи же всех зряху на царя и дивляхуся».

Богом венчанный и святопомазанный государь «во всем своем царском чину» направился с патриархом в Архангельский собор помолиться на гробницах предков. «Путь же весь постлан был червчатыми сукнами. А пред ним, великим государем, шли окольничие и думные, и ближние люди, и стольники, и стряпчие, и дворяне московские, и дьяки из приказов, и гости в золотном нарядном платье. А за ним, за государем, шли бояре и дворяне большие; а за бояры шли дворяне и всяких чинов люди; а по обе стороны пути царскаго шли многие прочие чиновники, хранили царский путь благочиния ради, да никто же дерзнет преходить того царскаго пути, доколе же государь царь пройдет». В Благовещенском соборе также проходила недолгая служба. При проходах царя по соборам его несколько раз осыпали золотом. Затем царь направился в свои покои, где переоделся в столовое платье. Атласы и бархаты, которыми был устлан царский путь, вернули в казну, а сукна, коими обивали чертожное место, раздали церковникам, певчим, дьякам и прочим «на честь царскаго величества».

В тот же день в Грановитой палате состоялась праздничная трапеза.

Посмертная парсуна царя Федора Алексеевича. Художник Б. Салтанов. 1686 г.

Бармы царя Алексея Михайловича. Художник Ф. Г. Солнцев. XIX в.

Г. И. Угрюмов.
Призвание
Михаила
Федоровича
Романова
на царство
14 марта
1613 года.
Последняя
четверть
XVIII в.

Михаил Федорович Романов венчался на царство 11 июня 1613 г. Несмотря на полное обнищание казны после польско-шведской интервенции, от традиционного чина венчания старались не отступать именно потому, что необходимо было всеми возможными способами подчеркнуть законность и преемственность власти. Использовали все обязательное царское облачение.

торжественных выходов, к началу XVII в. уже существовало. Однако при смене династии, естественно, возникла необходимость пересмотреть идеологию власти. В правление Михаила Романова выстроилось обновленное отношение к царству, а соответственно, к его символам — регалиям. При нем было создано несколько новых венцов. Причем государь сам контро-

Есть интересное свидетельство секретаря голштинского князя Адама Олеария, который наблюдал Михаила Федоровича на приеме во дворце в 1634 г.: «Михаил Федорович сидел на престоле… Корона, которая была на нем поверх собольей шапки, была покрыта крупными алмазами, так же как и золотой скипетр, который он, вероятно, ввиду его тяжести, по временам перекидывал из руки в руку… Рядом с престолом стояла золотая держава, величиной с шар для игры в кегли, на серебряной резной пирамиде».

Скипетр и держава «Большого наряда» царя Михаила Федоровича Романова.

Древнюю регалию русских царей — шапку Мономаха — держал во время торжественной церемонии над головой нового государя его дядя, боярин Иван Никитич Романов, который еще 15 лет назад мог бы получить царские регалии, но из скромности не счел себя достойным взять скипетр из рук умирающего родственника — царя Федора Иоанновича. Другие регалии вручали самые уважаемые из подданных. Державу, или «государево яблоко», вынес казначей Н. В. Траханиотов, а во время венчания держал и затем передал царю герой-освободитель князь Д. М. Пожарский; скипетр — князь Трубецкой[10].

К венчанию первого царя из рода Романовых не делали и не смогли бы успеть сделать новых регалий. Понятие «Большого наряда», т. е. парадного облачения, используемого для самых

лировал мастеров: хорошо разбираясь в камнях, он лично отбирал в казне материал для парадных изделий.

В 1620-е гг. кремлевские мастерские изготовили новый, очень тяжелый венец, весивший, вероятно, более 4,5 кг. Он был неудобен, поэтому использовали его нечасто, и до наших дней он не дошел. Следует иметь в виду, что нередко старые вещи разбирали. И потому, что они выходили из моды, и, возможно, из-за того, что практически не употреблялись. По-

Венец «Большого наряда» царя Михаила Федоровича (шапка Астраханская). Художник Ф. Г. Солнцев. XIX в.

Неизвестный художник. Портрет Михаила Федоровича Романова. Середина XVIII в.

Новый алмазный венец Михаила Федоровича упоминается в описаниях приемов начиная с 1633 г. Сохранились и документальные свидетельства того, что государь заказывал в Царьграде (Стамбуле) через своих послов «корону золоту с каменьями». Венец прибыл из Стамбула в 1630 г. Но в коллекции Оружейной палаты мы его не находим. Зато в описях Большой казны значится венец 1627 г., созданный в мастерских Кремля[11]. Он-то, скорее всего, и дошел до наших дней. Его украшал крупный красный камень — лал (так на Руси называли благородную шпинель). Писали, будто он был снят с шапки Казанской Ивана Грозного. Ныне шапку Казанскую украшает крупный янтарь, венец Михаила Федоровича — прекрасный шлифованный изумруд. А красный камень продолжил свои странствия. В 1680-е гг. его установили на венец внука Михаила Романова — царя Ивана Алексеевича.

видимому, вскоре была изготовлена еще одна, более легкая «парадная шапка».

Венец Михаила Федоровича выполнен в Москве немецкими и голландскими мастерами, работавшими под руководством русских специалистов. Он имеет традиционную для России форму «шапки, с ажурными, покрытыми многоцветной эмалью запонами-кокошниками»[12]. А вот когда и кем созданы скипетр и держава, доподлинно неизвестно. В XVII—XVIII вв. настойчиво писали о державе как о принадлежавшей некогда Константину Мономаху и привезенной вместе с венцом из Византии. В XIX в. предполагали западноевропейское ее происхождение, называли аугсбургской или итало-русской работой, усматривая влияние произведений Рафаэля и Бенвенуто Челлини. В XX в. искусствоведы выдвинули версии о том, что все предметы, входящие в «Большой наряд», созданы иностранными мастерами, работавшими в Кремле. Но сегодня ясно, что скипетр и держава царя Михаила Федоровича — абсолютно обособленные, изолированные в ювелирном искусстве Москвы памятники, строго выдержанные в традициях позднего европейского ре-

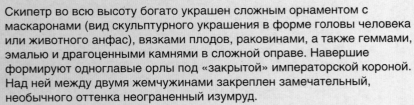

Скипетр во всю высоту богато украшен сложным орнаментом с маскаронами (вид скульптурного украшения в форме головы человека или животного анфас), вязками плодов, раковинами, а также геммами, эмалью и драгоценными камнями в сложной оправе. Навершие формируют одноглавые орлы под «закрытой» императорской короной. Над ней между двумя жемчужинами закреплен замечательный, необычного оттенка неограненный изумруд.

Скипетр «Большого наряда». Художник Ф. Г. Солнцев. XIX в.

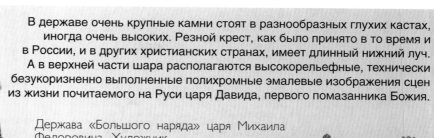

В державе очень крупные камни стоят в разнообразных глухих кастах, иногда очень высоких. Резной крест, как было принято в то время и в России, и в других христианских странах, имеет длинный нижний луч. А в верхней части шара располагаются высокорельефные, технически безукоризненно выполненные полихромные эмалевые изображения сцен из жизни почитаемого на Руси царя Давида, первого помазанника Божия.

Держава «Большого наряда» царя Михаила Федоровича. Художник Ф. Г. Солнцев. XIX в.

Для Михаила Федоровича кремлевские мастера переделали трон из более раннего восточного. Он упомянут в описях 1640 г. Его форма восходит как к «костяному стулу» Ивана Грозного, так и к «персидскому престолу» Бориса Годунова. Форма его традиционная, установившаяся еще в XVI в. Золотые фрагменты, бирюза и яхонты (рубины) в специфических кастах — типично иранская работа. Трон использовался в качестве походного[14], поэтому многие элементы, несмотря на неоднократные ремонты, оказались утрачены.

нессанса конца XVI — начала XVII в. При этом они «могли родиться только на той почве и в той художественной среде, где ренессанс был господствующим стилем»[13], поскольку в изделиях иностранцев, работавших в России, очень сильно влияние русской культуры, русского духа.

Искусствоведы и историки полагают, что «Большой наряд» Михаила Романова составляли венец, изготовленный в Кремлевских мастерских в 1627 г., скипетр и держава, созданные, вероятнее всего, художниками и золотых дел мастерами Священной Римской импе-

рии. Они входили в посольские дары, отправленные в 1604 г. императором Рудольфом II Борису Годунову. Скипетр и держава царя Михаила Федоровича участвовали во всех венчаниях русских царей, а затем и в коронациях императоров вплоть до Елизаветы Петровны. А впоследствии эти регалии вместе с шапкой Мономаха до самого конца XIX в. выносили во время коронаций в Успенском соборе как древние символы Русского государства. Сегодня «Большой наряд» занимает почетное место в экспозиции Оружейной палаты Московского Кремля.

Трон царя Михаила Федоровича. Иран, Россия. XVI—XVII вв.

Царские цепи, обязательный предмет всех венчаний, к регалиям, вероятно, не причислялись. Первая цепь упоминается еще среди даров императора Константина. В духовных грамотах русских князей они указаны в числе имущества, передаваемого старшему сыну. До наших дней сохранились цепи западноевропейского производства XVI в. и русские — XVII в. Самая древняя из известных состоит из трехгранных сканных колец-звеньев, вероятно голландской работы. Золотая цепь-окладень Михаила Федоровича датируется 1640 г. На ее 88 плоских звеньях записан полный титул русского царя, молитва Пресвятой Троице и наставление царю «жить по заповедям Божьим, править мудро и справедливо»[15].

Золотая цепь-окладень царя Михаила Федоровича. Россия, Западная Европа. XVII в.

Неизвестный художник. Портрет царя
Алексея Михайловича. XVII в.

Новый набор регалий заказали
в Стамбуле в 1660 г. Спустя два года заказ был выполнен. Почему в Турции?
Да потому, что в ту пору там работали мастерские греческих художников
и ремесленников. Материалы — драгоценные металлы и камни поставля-
ли греческие же купцы. А на Руси во
времена Алексея Михайловича Стамбул по-прежнему называли даже не
Константинополем, а Царьградом и
отождествляли с прежней столицей
православного мира. Заказывали вещи
в Стамбуле и для православного духовенства, и для патриархов.

Медальон из барм Алексея
Михайловича. Стамбул. 1662 г.

Вступивший на русский престол
после смерти отца 16-летний Алексей
Михайлович Романов остался в памя-
ти народа как один из самых достой-
нейших правителей — справедливый
и умный. Иностранцы писали, что это
«государь, какого желали бы иметь все
христианские народы, но немногие
имеют». А биографы отмечают, что его
недюжинные способности, восприим-
чивость к новому, то воспитание и образование, которое он дал своим детям,
подготовили почву для кардинальных
преобразований государства, предпри-
нятых его сыном Петром I.

У Алексея Михайловича имелся свой
взгляд на роль русского православного
царя в тогдашнем мире. Поэтому его решение создать новые регалии было впол-
не обоснованным. Он хотел еще сильнее
подчеркнуть преемственность Руси по
отношению к Византии, выраженную
формулой «Москва — Третий Рим».

Бармы, драгоценное оплечье, состояли из восьми медальонов, нашитых на
серебряный алтабас (ткань, напоминающая парчу). На медальонах с изумительной
виртуозностью эмалью выложены сцены: Богоматерь с Младенцем на престоле,
Константин и Елена и аллегорические картинки на темы псалмов Давида. Алексей
Михайлович сам выбирал тематику для композиций на медальонах, так как одна
из самых древних регалий в новом исполнении должна была подчеркнуть роль
православного праведного царя в религиозной и светской жизни всего мира.
В описи царской казны 1682 г. медальонов уже
семь, и нашиты они на белый атлас. В остальном
бармы сохранились в своем прежнем виде и в
великолепном состоянии.

Бармы царя Алексея Михайловича.
Стамбул. 1662 г.

Стилистически очень близки к бармам и державе наперсный крест, а также скипетр, украшенный золотыми изображениями христианских праздников по эмалевому фону в традиционной для восточных мастеров манере и цветовой гамме. Скипетр атрибутируют по-разному. Иногда в каталогах он упоминается как скипетр Михаила Федоровича, изготовленный по его заказу в 1638 г. Иногда его датируют временем Алексея Михайловича, прочитывая дату как 1658 г. Возможно, что скипетр был сделан раньше, а держава уже стилизована под него в том же характерном для восточных мастеров стиле: яркие контрастные цвета, золото и черная эмаль, любимые на Востоке рубины, изумруды и алмазы. Венчают державу и скипетр православные кресты, в навершии скипетра — традиционные двуглавые орлы.

Скипетр царя
Алексея Михайловича.
Художник
Ф. Г. Солнцев. XIX в.

На изготовление регалий и покупку редких камней для них из казны выделялись значительные средства. Известно, что в Турции покупали для русского царя алмазы, рубины и шпинели, которые тогда добывали только на Востоке — в Индии, Афганистане и Бирме.

Царь Алексей Михайлович во время венчания важнее других регалий ценил бармы, поэтому уделял им особое внимание еще на этапе создания.

Привезенная тогда же из Царьграда держава выдержана в характерной технике стамбульских ювелиров. Золотая основа покрыта сплошным слоем яркой прозрачной зеленой эмали и украшена такими же запонами, какие мы видим на бармах. Можно сказать, что эти запоны в виде сложного многолепесткового цветка, в котором на слой специальной смолы посажены крупные слегка ограненные индийские алмазы и рубины, — своего рода подпись мастеров середины XVII века, работавших в Стамбуле над царскими и патриаршими заказами.

Медальон
из барм царя
Алексея Михайловича.
Художник
Ф. Г. Солнцев. XIX в.

При Алексее Михайловиче в составе регалий появился самый красивый, нарядный, праздничный и дорогой трон — так называемое алмазное кресло. Изготовленное в Исфагане в 1659 г. придворными ювелирами персидского

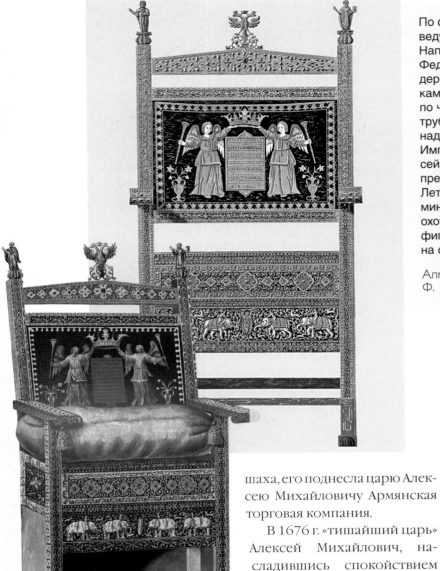

По форме этот трон продолжает тип тронных кресел, ведущих свое начало от «костяного стула» Ивана Грозного. Напоминает он трон отца Алексея Михайловича, Михаила Федоровича. Его основа изготовлена из ценного сандалового дерева. На украшение трона пошло множество драгоценных камней, в том числе более 800 алмазов из Индии. На спинке по черному бархату вышиты шелком и золотом два гения с трубами и короной в руках. Между ними жемчугом вышита надпись: «Могущественнейшему и непобедимейшему Московии Императору Алексею, на земле благополучно царствующему, сей трон великим искусством сделанный; да будет предзнаменованием грядущего в небесах вечного блаженства. Лета Христова 1659». По бокам помещены персидские миниатюры с изображением птиц, животных, растений и сцен охоты. На самом верху, на столбиках, установлены золотые фигуры апостола Петра и Николая Чудотворца; двуглавый орел на спинке появился уже в России.

Алмазный трон Алексея Михайловича. Художник Ф. Г. Солнцев. XIX в.

шаха, его поднесла царю Алексею Михайловичу Армянская торговая компания.

В 1676 г. «тишайший царь» Алексей Михайлович, насладившись спокойствием последних лет правления, тихо умер, успев благословить на царствие старшего сына Федора. Вообще же в конце XVII в. русский престол занимали трое детей Алексея Михайловича, и это не считая стоявшей за спинами малолетних Ивана и Петра Алексеевичей царевны Софьи Алексеевны...

В правление Федора Алексеевича процедура венчания на русский престол была окончательно отточена и отшлифована. При этом изменений почти не вносилось, разве что государь впервые приобщался Святых Даров по царскому чину. Вызвано это было следующими обстоятельствами.

Все XVII столетие ознаменовалось то скрытым, то явным соперничеством между властью царской и церковной, между главенством царя и патриарха. При Михаиле Федоровиче практически до смерти его отца, патриарха Филарета, существовало двоевластие, отражавшееся даже в подписании государственных актов. Подписей было две: царь — Михаил Федорович и государь — патриарх Филарет. При Алексее Михайловиче набрало силу противостояние царю непокорного патриарха Никона. К концу века царь, беря в руки державу во время венчания, тем самым демонстрировал свою верховную власть. Так завершился процесс обожествления власти русского государя. Выразилось это, в частности, в том, что царь теперь причащался не перед святыми вратами, а внутри алтаря.

Престольная палата
Теремного дворца
Московского Кремля.

Престольная палата
Теремного дворца
Московского Кремля.
Южная стена.

ревичей один — Петр — был слишком мал, а другой — Иван — отличался еще более слабым здоровьем, чем старший брат Федор. Есть свидетельства, может быть и не совсем справедливые, что Иван страдал не только физическим, но и умственным недугом, к тому же практически потерял зрение. За каждым из детей Алексея Михайловича стояла группировка бояр и приближенных. Вокруг престола развернулась яростная борьба, сопровождавшаяся многочисленными жертвами.

С большим трудом удалось пресечь кровавый мятеж стрельцов. В результате в России произошло небывалое: царствовать поставили сразу двух братьев, Ивана и Петра Алексеевичей. А вследствие их малолетства в течение семи лет правила за них старшая сестра Софья Алексеевна. Она вершила политические дела, умело используя верных стрельцов, и была фактически отстранена от власти только в 1689 г., когда, женившись, Петр Алексеевич стал считаться совершеннолетним.

Неизвестный художник. Портрет царя Федора Алексеевича. XVIII в.

А. Антропов. Царевна Софья Алексеевна. XVIII в.

Напрестольный крест Царя Федора Алексеевича. Художник Ф. Г. Солнцев. XIX в.

Федору Алексеевичу претило такое отношения к личности царя. Набожный человек, он запрещал приравнивать себя к Богу. Свое предназначение он воспринимал как служение Богу, но никак не отождествление себя с Ним. Единственный предмет, которым обогатилась казна в его правление, — это наперсный крест его отца с эмалевыми миниатюрами, переделанный для Федора, возможно, в те времена, когда он был еще царевичем. На кресте появилась фигура его святого покровителя, Федора Стратилата.

Федор Алексеевич умер скоропостижно, не оставив ни наследника, ни распоряжений по престолонаследию. Из большого числа его братьев и сестер на тот момент выжили шесть царевен и два царевича. Среди царевен умом, характером, образованием и честолюбием выделялась Софья Алексеевна. Из ца-

Царевичи Иван Алексеевич (слева) и Петр Алексеевич. Гравюра. 1685 г.

Двойной трон Ивана и Петра Алексеевичей. Художник Ф. Г. Солнцев. XIX в.

Двойной трон представляет собой гигантское сооружение из серебра, напоминающее пышный, разделенный надвое поручнем золоченый чертог под ажурной аркой, укрепленной на витых колоннах. За одним из сидений прорезано окошко, скрытое бархатной завесой. В тайном пространстве за спинами малолетних царей помещались советчики, возможно, нередко сама старшая сестра. Перед троном расположены три великолепных стоянца с двуглавыми орлами и две особые трехгранные подставки под державы. Трон украшен рельефной резьбой и гравировкой: барсы, грифоны, единороги, львы, орлы — символы силы, мужества, величия. До начала XVIII в. это помпезное сооружение не сдвигали с места. Трон находился в Грановитой палате, и пользовались им во время посольских приемов. Затем его перенесли на Казенный двор, а уже при создании музея в XIX в. окончательно установили в Оружейной палате.

Венчали на русский престол двух царей-соправителей — Иоанна V и Петра I Алексеевичей 25 июля 1682 г. Для такого неординарного события были заказаны в мастерских Московского Кремля дополнительные регалии. Самой необычной из них, пожалуй, не имеющей аналогов в мире, является так называемый двойной трон.

Старший царь, Иван Алексеевич, венчался шапкой Мономаха. Это последнее венчание на царство в России и последний раз, когда древний русский венец был главной действующей регалией. Ивану вручили скипетр и державу деда, Михаила Федоровича Романова. Для младшего, Петра Алексеевича, изготовили копии регалий — «шапку Мономаха второго наряда» и новый скипетр. Венец Петра Алексеевича повторял форму и очертания древнего, однако был проще и по исполнению, и по внешнему виду.

Золотые пластины гладко отполированы, на них — яркие драгоценные камни и жемчуг. В скипетре для младшего царя тоже постарались повторить формы и детали регалии из «Большого наряда». Он сделан из золота, украшен черным и розовым эмалевым орнаментом по голубому и белому фону и драгоценными камнями. Завершением скипетра служат три орла со спаренными крыльями под короной, что очень напоминает

Роскошные «шапки Алмазные» украшало огромное количество алмазов старой огранки, причем на венце Петра Алексеевича имелись еще и подвижно закрепленные крупные цветные камни — турмалины и изумруды. Под одинаковыми четко очерченными крестами красуются крупные красные камни. Часто для изготовления венцов «нового дела», т. е. более современных, брали камни из разобранных изделий, вышедших из моды. На один из алмазных венцов, как упоминалось выше, установлен лал, снятый с шапки царя Михаила. Тульи шапок сшиты из меха чернобурых лисиц, околы — из соболя.

Шапка Мономаха второго наряда Петра Алексеевича. 1682 г.

Шапка алмазная Ивана Алексеевича. 1680 г.

скипетр Михаила Федоровича. Вероятно, мастера этого и добивались. Не только во время венчания, но и во все правление Ивана и Петра Алексеевичей царское окружение старалось сделать так, чтобы братья показывались вместе, выглядели похоже и одинаково на все реагировали.

В годы двоецарствия появились и два практически идентичных алмазных венца, в которых цари встречали послов и участвовали в прочих торжественных мероприятиях.

Есть предположение, что для Ивана Алексеевича «шапка Алмазная» была слишком тяжела. Во всяком случае, именно этим часто объясняют появление в казне в 1684 г. необычного легкого венца — традиционной формы, но с тульей

из алтабаса. Этот единственный в своем роде венец называется «шапка Алтабасная». На фоне серебристой ткани ярко играют драгоценные камни в золотых запонах, раскрашенных разноцветной эмалью. Эти запоны снова относят нас ко временам первого царя из рода Романовых, поскольку они также сняты с какого-то из его несохранившихся венцов, да и по стилю и колориту они очень напоминают регалии начала XVII в.

Шапка Алтабасная, наперсный крест Петра с резными изумрудами и алмазные венцы царей-соправителей были, вероятно, последними созданными в мастерских Московского Кремля царскими регалиями, пополнившими казну. После смерти брата повзрослевший Петр стал единоличным правителем

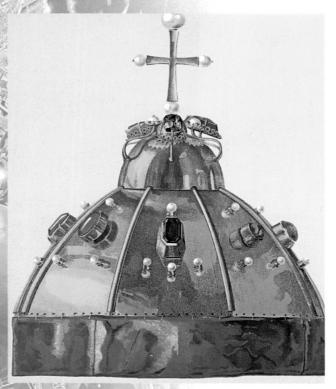

Шапка Петра I. Художник Ф. Г. Солнцев. XIX в.

Шапка Алтабасная. Художник Ф. Г. Солнцев. XIX в.

Алмазная шапка Петра I. Художник Ф. Г. Солнцев. XIX в.

Алмазная шапка Ивана V. Художник Ф. Г. Солнцев. XIX в.

П. Ф. Борель.
Император Петр I.
На картине хорошо
видны государственные
регалии.

Провозгласив Россию империей, Петр I постарался привести в соответствие с новым статусом все области жизни и государственного устройства. Естественно, потребовалось изменить и оформление вступления во власть нового монарха. В этом вопросе Петр I не стал следовать своей обычной

Последовательность коронационных мероприятий и правила их проведения разработал лично император. Для этого он подробно изучил сценарии коронаций в других странах, в частности в Священной Римской империи. Еще в свои первые поездки в страны, где много веков назад сложился этот обряд, Петр осматривал символы государственной власти, изучал шведские короны, регалии саксонских курфюрстов и другие священные предметы.

Держава Петра I. Художник
Ф. Г. Солнцев.
XIX в.

России. На долгое время о производстве роскошных символов царской власти вовсе забыли. Во-первых, изменилась сама суть государства. Во-вторых, молодому правителю было не до ювелирных изделий. Сначала он учился в прямом смысле управлять страной по-новому, набирался знаний и умений за рубежом, а затем более 20 лет провел в военных походах, создавая державу заново.

После длительной, победоносной, но истощившей все силы Северной войны и заключения Ништадского мира 20 октября 1721 г. сенаторы и члены Синода преподнесли царю титул «Императора Всероссийского, Отца Отечества и Великого» и облекли победителя шведов в сень (императорскую мантию), подбитую горностаем. На лицевой стороне

золотой парчи был вышит российский герб — черные двуглавые орлы[16].

Приняв в 1721 г. титул императора, Петр не видел необходимости в собственной коронации, так как был по всем правилам венчан на царство еще в 1682 г. Каждый православный человек бывает миропомазан единожды при принятии крещения. И лишь русские цари имели возможность испытать эту благодать во второй раз, становясь помазанниками Божьими во время венчания на царство. Нужды повторно проходить церемонию венчанному самодержцу Петру I не было. Но иная ситуация складывалась в отношении его второй супруги, Екатерины. И вопрос престолонаследия поставил перед Петром I задачу создания символов власти новой эпохи — эпохи империи.

скромности и аскетичности. Старинный торжественный обряд венчания на царство решено было заменить на блестящее пышное действо — коронацию. Более того, Петр I приказал считать день коронации государственным праздником.

15 ноября 1723 г. император выпустил манифест о коронации Екатерины Алексеевны, обосновывая ее необходимость, во-первых, общеевропейскими нормами, во-вторых, тем, как себя показала супруга царя в самые сложные для страны моменты.

Коронация проходила, как повелось издревле, в Москве, в Успенском соборе. Но, поскольку Петр I не жил в старой столице уже почти 20 лет, и он сам, и гости, и принимавшие участие в подготовке церемонии люди нашли, что «Кремль сильно поизносился» и требуются работы по его реставрации и украшению.

Коронация российских императоров, по сути, повторяла венчание на царство — торжественное вручение символов власти монарху и его миропомазание, поклонение гробам предков и празднества по этому случаю. Главное отличие заключалось в том, что функ-

Медаль в память коронации Екатерины I. 1724 г.

Екатерина I.

Петр I вспоминал несчастливый Прутский поход, в который Екатерина последовала за Петром на седьмом месяце беременности. Русская армия попала в окружение к туркам. И в «наших трудах наша любезнейшая супруга государыня императрица Екатерина великой помощницею была, и... во многих воинских действах, отложа немочь женскую... елико возможно, вспомогала, а наипаче в прутской кампании с турки, почитай отчаянном времени как мужески, а не женски поступала, о том ведомо всей нашей армии и от них несумненно всему государству: того ради данною нам от Бога самовластию за такие супруги нашей труды коронациею короны почтить, еже Богу изволыну, нынешней зимы в Москве иметь совершено быть».

С отменой патриаршества и учреждением в 1721 г. Священного синода Церковь превратилась в стандартное подразделение государственной бюрократии. За последующие 200 лет на должность обер-прокурора Синода ни разу не назначалось лицо духовного звания[17].

цию «ключевого распорядителя»[18] церемонией взял на себя император. Он сам возложил корону на супругу, еще раз подчеркнув новую позицию светской власти по отношению к Церкви. Обставлено все было с непередаваемой пышностью и великолепием.

Специально для охраны императорской четы и регалий во время коронации был создан полк кавалергардов (драбантов, или трабантов). Для него в других воинских частях отбирали самых рослых, сильных и красивых солдат и офицеров. Кавалергардам в короткие сроки сшили яркую, заметную парадную форму.

Петр I рос при дворе, где женщины и дети царской семьи обитали в закрытых для посторонних теремах. В конце его жизни на престол взошла его супруга. И XVIII столетие стало веком императриц — страной друг за другом, почти без перерывов, более чем успешно управляли четыре замечательные женщины.

КОРОНАЦИЯ ЕКАТЕРИНЫ I

В 1724 и 1725 гг. несколько раз издавалось «Описание коронования Екатерины Алексеевны», в котором подробно расписан весь ход этой великолепной церемонии.

За два дня до коронации о ней сообщали на главных площадях Москвы особые глашатаи — герольды, одетые в плащи с гербами — черными орлами на желто-золотом фоне.

«Процессия началась в 9 часов утра 7 мая 1724 г. выходом половины кавалергардии. За кавалергардами следовали пажи, депутаты из провинций, генералитет, далее несли регалии (мантию, скипетр, державу и корону). За регалиями шествовал верховный распорядитель — граф Толстой, за ним — император Петр I. За императором следовала Екатерина в головном уборе, усыпанном драгоценными каменьями и жемчугом. Платье на ней было из пурпурной материи с великолепным шитьем. Императрицу вел герцог Шлезвиг-Голштинский (будущий супруг дочери Петра и Екатерины Анны); шлейф несли пять дам "первейшего рангу". За императрицей следовали фрейлины и придворные дамы, за ними — полковники, офицеры и прочее дворянство. Шествие замыкала другая половина кавалергардии.

Встреченные на рундуке Успенского собора духовенством император и императрица "в предшествии его и при пении псалма "Милость и суд воспою тебе, Господи" направились к устроенному посреди собора трону… Капитан императорской кавалергардии и той же кавалергардии поручик… стали по обеим сторонам входа большого приступа на троне для сбережения оного; другие два командующие кавалергардии… стали по обеим сторонам среднего приступа, между всходом на трон, все четыре с посохами команды своей в руках".

Герцог Шлезвиг-Голштинский довел Екатерину только до низу трона, затем "Его Величество император, подав руку императрице, пошли на трон и воссели на своих императорских креслах. Прекратился звон; умолкло пение. Петр встал и, взяв в руки скипетр, повелел верховному маршалу призвать к себе архиереев и прочих властей".

Екатерина встала на колени на уготованной подушке; Феодосий, архиепископ Новгородский прочитал молитву.

Затем императрица встала, архиереи "приняли хламиду (коронационную мантию. — *Авт.*) и подали оную Императорскому Величеству, а Императорское Величество, держа скипетр в руке своей, возложил оную на Ее Величество".

По окончания молитвы "Тебе единому царю человеков…" Екатерина поднялась, и Петр, "такожде держа скипетр, возложил на нее корону, а первый архиерей поднес Ее Величеству державный глобус (державу. — *Авт.*). У Ее Величества в это время по лицу скатилось несколько слез. Государыня вслед за тем обратилась к Его Величеству императору и, преклонив правое колено, хотела как бы поцеловать его ноги; но он с ласковой улыбкой тотчас же поднял ее. Певчие запели многолетие, раздался звон во все колокола и был первый залп из пушек… Петр положил скипетр, Екатерина — державу на подушки и вместе спустились с трона".

Дойдя до солеи (возвышение перед иконостасом в православной церкви), они разошлись на свои церковные места, и Петр, взяв Екатерину за руку, подвел ее к царским вратам, у которых Екатерина преклонила колени на золотую богатую подушку. Началось таинство миропомазания. Затем императрица тут же, на солее, причастилась пречистых тайн от первого из служащих литургию архиерея. По окончании обоих таинств раздался второй залп из орудий и ружей.

По окончании литургии верховный распорядитель "приказал всем из церкви паки дефилировать к церкви Михаила Архангела, но, чувствуя слабость сил своих, Его Императорское Величество другими дверьми прямо из церкви в свои апартаменты пошел". Для шествия в Архангельский собор был приготовлен богатый балдахин на шести литых серебряных штангах. Императрица в мантии и короне, опираясь на руку герцога Голштинского, встала под этот балдахин и шествовала под ним до Архангельского собора. Впереди нее несли на подушках скипетр и державу.

При выходе из Успенского собора был "третий залп из пушек и мелкого ружья и звон во все колокола, с играющими трубами, литаврами, барабанами и при радостном восклицании множества собранного народу. А рота кавалергардии императорской тогда стояла вдоль моста по обеим сторонам от соборной церкви (т. е. Успенского собора) до церкви Михаила Архангела.

И как скоро вся процессия в помянутую церковь вошла, то оная кавалергардия села на лошади и ожидала, пока Ее Величество сядет в карету. Императрица поклонилась гробницам царским. Затем изволила сесть в императорскую карету о восьми возниках (лошадях) для посещения монастыря Вознесенского, в котором гробы предков Императорского Величества женского полу". После все направились в Грановитую палату на праздничный обед. Коронационные торжества продолжались по 11 мая»[19].

Серебряное блюдо
«Коронация Екатерины I».
1724—1727 гг.

Екатерина I. Портрет
вышивкой.

По мере того как менялось отношение к женщине в русском обществе, менялось и отношение женщин к своим нарядам. Быт становится другим. Россия приобщилась к общеевропейской моде, где законодательницей стиля почти во всех областях жизни была Франция. При Петре не только сбрили бороды и начали пользоваться столовыми приборами. Кардинальные изменения претерпел костюм, как мужской, так и женский. И к середине века русский двор по пышности и блеску уже превосходил французский.

Изменились и регалии. Сохраняя их суть как символов власти, внешне их приводили в соответствие с западными образцами. Россия занимала свое место в ряду сильнейших европейских держав, неуклонно выдвигаясь на ведущие позиции, хотя и теряя при этом самобытные черты. Блеск и роскошь

Еще с великокняжеских времен на венчании обязательно присутствовал меч. Теперь обязательными регалиями стали не только государев меч, но также ключ, знамя и государственная печать. Правда, до коронации дочери Петра — Елизаветы Петровны они во время церемонии не употреблялись.

Коронационное платье императрицы 1724 г. (его в описях называют «испанским»: открытые плечи, подчеркнутая талия, широкие юбки на кольцах из китового уса) — французской работы, оно было сшито из вишнево-красного шелка, наложенного на хлопчатобумажную ткань. По корсажу и юбке с фижмами серебряными нитями вышиты короны, гирлянды цветов, завитки и ленты.

Коронационное платье
Екатерины I.

Государственный щит. Художник
Ф. Г. Солнцев. XIX в.

коронации, сверкающие бриллиантами одежды императора и императрицы, изобилие золота и драгоценных камней на ярких костюмах и в украшениях придворных заявляли о богатстве и мощи новой империи.

Надо сказать, что слово «регалия» вошло в обиход при Петре I. До него символы царской власти называли «Большой наряд» или «царский чин». Мода на все иностранное коснулась и привычной терминологии: «дефилирование» к храму, «глобус» вместо «яблока державного» и т. д.

Петр I с момента создания Рентерии (новое название государевой казны) до коронации Екатерины I, т. е. с 1719 по 1724 г., несколько раз менял состав регалий. Если до начала XVIII в. исследователи насчитывали около 40 предметов, относящихся к царскому чину, то Петр I резко сократил это число. Из списка регалий, в частности, был исключен древний Крест Животворящий, которым начинали обряд венчания на царство митрополиты, а затем патриархи. Из старых предметов сохранились лишь держава и скипетр.

Древние бармы с царской цепью заменили порфирой — мантией, украшенной 196 гербами, вышитыми золотом, серебром и шелком кофейного цвета. По некоторым сведениям, ее вес достигал 60 кг. Для порфиры была изготовлена специальная застежка-брошь с бриллиантами. (Тогда ее называли «графия». Позднее в Рентерию помещали разнообразные драгоценные застежки для мантии — аграфы, один из которых хранится ныне в Алмазном фонде России.) Обязательными являлись также бриллиантовые знаки и цепь ордена Св. апостола Андрея Первозванного, первого русского ордена, учрежденного Петром I и ставшего высшей наградой империи.

Корону, которая заменила на церемонии коронации монарха шапку Мономаха, для Екатерины I также изготовили специально. Петр I долго сравнивал разнообразные венцы, их описания и внешний вид: короны английских и шведских королей, императоров Священной Римской империи, папские тиары и головные уборы православных епископов. В итоге остановились на короне принятого во многих странах «закрытого» типа митрообразной формы. В ней можно разглядеть и отголоски древних венцов русских царей и цариц. Изготовление короны поручили мастеру Самсону Ларионову.

Скипетр для Петра I был наиглавнейшей регалией, и многие присутствовавшие на коронации Екатерины Алексеевны вспоминали, что на всем ее протяжении Петр практически не выпускал его из рук.

Знак ордена Св. Андрея Первозванного. Середина XIX в.

Сохранилось множество свидетельств того, какое впечатление произвела первая императорская корона на очевидцев. Она «сияла диамантами и восточными жемчужинами. Венчал ее крест, под которым был закреплен алый размером больше голубиного яйца лал», служивший, как писали современники, «вместо глобыса». Форма короны Екатерины I — две ажурные полусферы, разделенные аркой под крестом и закрепленные на обруче — считалась идеальной. В XIX в. писали, что две ее половины напоминают о Западной и Восточной Римских империях и о России, государстве, которое состоит из западной и восточной частей. В наше время над многозначной символикой митрообразной короны все еще размышляют исследователи. Она повторена во всех созданных впоследствии в России императорских коронах.

Корона Екатерины I. 1724 г.

Увы, но эту корону постигла участь огромного множества вещей царской эпохи: драгоценные камни с нее перекочевали на новые изделия императорской сокровищницы. В Оружейной палате Московского Кремля представлен лишь золоченый серебряный остов короны.

Медаль в память коронации императрицы Анны Иоанновны. 1737—1740 гг.

В своих путешествиях Петр I не раз посещал существовавшие в то время во многих странах Европы хранилища ценностей. Он видел выставленные на всеобщее обозрение сокровища Августа Сильного в Саксонии, регалии польских королей, наследственные и государственные драгоценности Габсбургов. Император прекрасно понимал, что возможность воочию увидеть коронные ценности оказывает очень мощное пропагандистское воздействие. Поэтому впервые в истории России сразу после коронации регалии были выставлены «за стекла» в казне, и все желающие могли на них полюбоваться. Впоследствии это стало традицией: регалии привозили в Москву из Петербурга до коронации, после нее демонстрировали публике, а затем увозили обратно.

Император Петр II.

Держава Петра II.

От времен Петра I до Николая II разработанный церемониал подвергался лишь небольшим изменениям. В 1728 г. состоялась коронация Петра II, унаследовавшего престол после Екатерины Алексеевны, — первая официальная коронация императора в России. Тогда было принято решение перевезти символы императорской и царской власти в Оружейную палату Московского Кремля. Но уже через несколько лет императорские регалии вернулись в Санкт-Петербург, а в Москве остались только исторические вещи.

Некоторые новшества были внесены в церемонию коронации племянницы Петра I — Анны Иоанновны в 1730 г. Она не издала манифеста о коронации, которого ждал народ, так как обычно этот документ объявлял о милостях от нового монарха. Курляндская герцогиня

Коронационный наряд Анны Иоанновны шили, по всей видимости, за рубежом. Юбка алого платья из драгоценной парчи украшена прекрасным золотым кружевом. Фасоном платье напоминало наряд Екатерины I. Позднее коронационные платья императриц шили из серебряного глазета русские мастера. Корсаж очень плотно стягивал фигуру, делая талию нереально тонкой, а юбки крепились на эллипсообразных обручах.

Л. Каравак. Портрет императрицы Анны Иоанновны. 1730 г.

постаралась продемонстрировать приверженность старинным русским обычаям, поэтому регалии на нее возложил архиепископ Феофан. В обряд добавили молитву коленопреклоненной государыни в порфире. Но самое важное, что после миропомазания императрицу ввели в алтарь для принятия святых даров. Разумеется, в алтарь она вошла не как женщина, что категорически невозможно по православным обычаям, а как монарх — помазанник Божий.

Бриллиантовую цепь ордена Андрея Первозванного как коронационный атрибут также впервые применила Анна Иоанновна.

Корону в первой половине XVIII в. еще продолжали воспринимать не как неприкосновенную государственную реликвию, а скорее как личную собственность монарха. Поэтому и корона, созданная для первой императорской коронации, в целостном виде не сохранилась. Торжественное место в Успенском соборе занимала, как и прежде, шапка Мономаха, а корону из позолоченного серебра специально для коронации 1730 г. заказали в Петербурге ювелиру Г. В. Дункелю.

Малолетнего Иоанна VI Антоновича короновать не успели.

В 1742 г. на престол вступила младшая дочь Петра I — Елизавета. В этой церемонии последний раз был задействован трон Бориса Годунова, подаренный иранским шахом Аббасом I.

Корона Анны Иоанновны. 1730 г.

Бриллианты и алмазы для короны использовали те самые, что ранее украшали корону Екатерины I. В корону Анны Иоанновны добавлены красные камни — рубины и турмалины. Венчает ее крупный, редкого оттенка турмалин весом более 400 каратов, подаренный, по некоторым сведениям, Екатерине I А. Д. Меншиковым (по другим — графом Толстым). Всего в короне около двух с половиной тысяч камней. Впоследствии Елизавета Петровна передала ее в Рентерию. А в XIX в. она являлась короной царства Польского.

В XVIII и XIX вв. изготавливалось большое количество тронных кресел. Они стояли в тронных залах, где проходили важные государственные приемы, под балдахинами, напоминающими императорскую мантию, во дворцах и резиденциях, чтобы не перевозить из города в город парадную мебель. Обычно их делали в России из позолоченного резного дерева, обивали бархатом; работы эти поручали известным архитекторам. Но первое тронное кресло Анны Иоанновны было серебряным, и изготовили его английские мастера.

Но другие троны своих предков российские императоры использовали вплоть до последней коронации.

Многое Елизавета Петровна демонстративно делала по примеру своего великого отца. Мантию и корону на себя она возложила сама. После нее это превратилось в традицию. И теперь церковные иерархи не возлагали регалии на коронуемых, а лишь выносили их и передавали императору. Причащалась Елизавета по царскому чину в алтаре.

Впервые на ее коронации присутствовали внесенные еще Петром в число регалий государственный меч, печать и знамя. Точно неизвестно, насколько часто и регулярно эти регалии употреблялись. Меч, а порой и государственный щит несли во время торжественного шествия перед императором на подушках. Но в обрядах печальных, при погребении императоров, их использовали постоянно.

Еще один предмет, не совсем новый, но только после коронации Елизаветы Петровны отнесенный к ценностям, хранящимся в Рентерии, — это бриллиантовая пряжка-аграф, скреплявшая на груди концы мантии. Некоторые специалисты считают, что сохранившаяся пряжка более поздняя, 1750-х гг. Этот же аграф использовался и впоследствии —

Г. Бухгольц. Портрет императрицы Елизаветы Петровны. 1768 г.

Держава Елизаветы Петровны. Рисунок. XIX в.

при коронациях супруг русских императоров и на свадьбах великих княжон. А вот мантии императоров XIX в., судя по портретам, держат аграфы и застежки гораздо более лаконичных форм.

Для коронации Елизаветы Петровны также была изготовлена корона. Сохранилось ее описание, сделанное И. Позье, главным придворным петербургским ювелиром середины и второй половины XVIII в. Елизавета Петровна

обожала цветные драгоценные камни и даже умела их гранить.

Как и Иоанн Антонович, не успел короноваться Петр III, внук Петра I. Он был низложен вследствие государственного переворота, осуществленного его супругой Екатериной Алексеевной.

Спустя 35 лет после его смерти Павел I перезахоронил останки отца и на гроб возложил императорскую корону, посмертно короновав его.

Можно предположить, что императрица лично участвовала в подборе материала для короны. По форме она повторяла короны Екатерины I и Анны Иоанновны, но, в отличие от них, была щедро украшена рубинами, сапфирами и изумрудами, которые «ни с чем не могут сравниться по своей величине и красоте». Эту корону, вероятно, позже размонтировали, как вышедшую из моды. Во всяком случае, при очередной инвентаризации ее просто «не смогли отыскать». Возможно, какие-то ее части были использованы в короне Екатерины II.

Корона Елизаветы Петровны. Рисунок. XIX в.

А. Антропов. Императрица Екатерина II
Алексеевна. 1766 г.

сии не будет разобрана, а в том же виде поступит на хранение в Бриллиантовый кабинет Зимнего дворца. Поэтому перед мастерами стояла труднейшая задача — сделать «вещь на века», прославляющую и Российское государство, и его императрицу.

Большая
императорская
корона.
Санкт-Петербург.
1762 г.

Коронационное
платье
Екатерины II.

Зато Екатерина II издала манифест о коронации почти сразу после переворота и уже через три месяца провела саму церемонию.

Ювелиры придворных мастерских Санкт-Петербурга получили от Екатерины II заказ на изготовление короны менее чем за два с половиной месяца до объявленных торжеств. Им предписано было сделать вещь одновременно и практичную, и модную, и традиционную. Ведь коронация длится несколько часов, а коронационные празднества — несколько дней. Стоять во время церемонии в туго затянутом платье, в многокилограммовой мантии, да еще с тяжелым венцом на голове, медленно обходить кремлевские соборы, принимать поздравления от иностранных посольств и депутаций хрупкой женщине было нелегко, но она все предусмотрела. Екатерина II решила, что императорская корона Рос-

О работе над короной мы знаем из записок придворного бриллиантщика И. Позье. Помимо него над изготовлением шедевра трудились замечательный ювелир Г. Ф. Экарт и французский мастер оправ Ороте. Мастера совершили почти невозможное: они применили самые передовые на тот момент технические приемы, создали выдающееся произведение искусства и уложились в срок. В основу художественного решения короны легла сформулированная Петром I трактовка царской власти как работы на «пользу Отечеству» и «славу России». Рисунок короны исполнен символики. Полушария украшают уже знакомые по ранее созданным императорским коронам четырехлистники и лавровые листья — символы славы императора, гирлянда из дубовых листьев

Коронации многим монархам давались нелегко. Английская королева Виктория в своих дневниках вспоминала, что выстоять в короне и мантии всю процедуру оказалось самым ужасным моментом ее жизни. А Николаю II и его супруге после окончания праздничных торжеств потребовался длительный отдых. Они уехали за границу почти на полтора месяца.

с желудями — символ крепости и прочности государственной власти, крест в навершии — символ духовного владычества православного монарха. И все же екатерининские мастера создавали не предмет, наполненный сакральным смыслом, а ювелирное изделие, которое должно поражать богатством и роскошью. Классическая форма, классический подбор камней: идеальное сочетание белого металла (серебра), бриллиантов (их 4936) и жемчуга (75 абсолютно ровных и дивного каче-

Держава работы Экарта представляет собой идеально отполированный золотой шар, символ земного шара, перевитый бриллиантовой гирляндой из лавровых веточек. Хранители регалий открыли интересный факт. Из-за спешки мастер не стал изобретать украшения, он удачно использовал элемент, срезанный с парадного платья императрицы. Блеск прекрасно ограненных камней отражается от гладкой и ровной золотой поверхности. Венчает державу бриллиантовый крест — знак власти христианского монарха над Землей. В центре державы закреплен необычайно чистый крупный алмаз старой индийской огранки. При Павле I под крестом появился огромный сапфир весом около 200 каратов. В очертаниях императорской державы нет ничего лишнего — типичный образец искусства классицизма.

Столь же строг и отточен в формах золотой императорский скипетр, выполненный немного позднее, в 1771 г., придворным ювелиром Л. Пфистерером. Спустя два года его украсил знаменитый индийский камень — именной алмаз «Орлов». Как и в некоторых других странах Европы, навершия скипетров XVIII—XIX вв. делались съемными, для того чтобы их можно было использовать в разных ситуациях, так как скипетры нередко сопровождали монарха при его торжественных выходах. Петербургский ювелир И. В. Кейбель для коронации Николая I в царстве Польском в 1829 г. делал несколько предметов, в том числе цепь ордена Белого Орла и специальное навершие для скипетра.

Прием в Грановитой палате по случаю коронации Екатерины II.

В. Л. Боровиковский. Портрет Павла I в коронационном облачении. 1800 г.

не отличался от прежних. После коронации регалии выставили для показа на несколько недель.

Коронация Павла I, состоявшаяся в 1797 г., окончательно зафиксировала правила проведения этой церемонии послужила образцом для всех коронаций XIX века. Императоры вступали на престол вместе с императрицами. Перед торжественным въездом в Москву Павел I с Марией Федоровной остановились на отдых в Петровском путевом дворце. До конца XIX в. императоры не отступали от этого обычая. Павел положил начало еще одной традиции — все последующие императоры короновались, как и он, в парадном военном мундире.

В Успенском соборе император сначала возложил на себя традиционное одеяние — далматик. В таком короновался еще в IX в. Карл Великий. Затем Павел I надел порфиру. По завершении собственной коронации император сел на трон, положил регалии на подушки, подозвал супругу. Затем, сняв с себя корону, прикоснулся ею к голове императрицы, стоявшей перед ним на коленях, и снова возложил на себя. А голову императрицы увенчала Малая корона.

ства жемчужин). Под бриллиантовым крестом установлен один из самых известных камней мира — редкого насыщенного тона благородная шпинель весом почти 400 каратов, хранившаяся до поры в Бриллиантовом кабинете. За короной Екатерины II закрепились восторженные эпитеты: «самая красивая корона Европы», «симфония в камне», «гимн бриллианту в бриллиантовый век». Большая императорская корона использовалась до самого конца XIX в. Наряду с шапкой Мономаха она стала не просто главной регалией российских императоров, но самым узнаваемым символом Русского государства.

После отмены патриаршества церемонию коронации проводили митрополиты Санкт-Петербурга. Коронацию Екатерины II выполнял митрополит Новгородский Димитрий. В остальном обряд ничем

Малые короны, предназначенные для различных торжественных случаев, имелись, по-видимому, у всех императриц начиная с Екатерины I. Они были однотипные: целиком ажурная сетка из белого металла и бриллиантовые четырехлистники — практически точные копии короны, созданной придворным петербургским ювелиром Л. Д. Дювалем в 1797 г. по заказу Екатерины II. Возможно, иногда их надевали и в повседневной жизни в качестве украшений. Но только с коронации Марии Федоровны Малая корона превратилась в регалию. Однако хранилась она не в Рентерии, а среди личных украшений императрицы. И только после ее смерти перешла в Бриллиантовую комнату в состав коронных ценностей, правда, не первого порядка. В 1840-е гг. эту корону разобрали.

В конце 1798 г. среди сокровищ Бриллиантового кабинета появилась необычная для России корона. Павел I, став Протектором, а затем и Великим

На портрете работы неизвестного художника голову Екатерины II венчает Малая императорская корона.

о престолонаследии, отменивший распоряжения Петра I о праве императора выбирать наследника. Так он возродил древний четкий династический закон, по которому наследование власти шло строго по мужской линии. Император огласил Акт при огромном стечении

Малая императорская корона Елизаветы Петровны. Рисунок. XIX в.

народа, затем прошел в алтарь, положил документ в ковчег и «повелел хранить его там на все будущие времена»[21].

Во всех последующих коронациях обнаруживаются всего лишь небольшие изменения по сравнению с порядком проведения, закрепленным Павлом I. В частности, в 1801 г. супруга Александра I Елизавета Алексеевна не становилась на колени, а стоя приняла корону. Николай I с Александрой Федоровной короновался дважды: в Москве в 1826 г. — на российский престол и в Варшаве в 1829 г. — на польский. Последняя церемония в зале Сената напоминала достаточно унифицированные европейские коронации. Молитву читал архиепископ-примас. Государь возложил на себя корону царства

Во время коронации Александра II в 1856 г. императрица вновь преклонила колени перед супругом. Эта коронация отмечена еще одной необычной деталью. Поскольку была жива вдовствующая императрица Александра Федоровна, рядом с царским «резным стулом» Ивана Грозного на престоле в Успенском соборе разместили еще два трона — трон Михаила Федоровича для супруги и «алмазное кресло» Алексея Михайловича для матери императора.

магистром Мальтийского ордена, получил некоторые регалии этого ордена. Золотую корону королевского типа с белым эмалевым мальтийским крестом над державой в последние годы царствования император часто использовал, ее изображение даже вошло в российский герб, появилось на знаменах гвардейских полков. Однако сразу же после его смерти Мальтийская корона была исключена из состава государственных регалий, перенесена в Дом капитула ордена, а в 1827 г. зачислена в Оружейную палату[20].

Павел I подготовил и прочел во время коронации несколько важнейших документов, в первую очередь — Акт

Коронация императора Александра II в Успенском соборе Московского Кремля в 1856 г.

Две последние коронации — Александра III и Марии Федоровны в 1883 г. и Николая II и Александры Федоровны в 1896 г. — ничего нового в процедуру не привнесли. Праздничные торжества и угощение для народа еще при коронации Александра II вынесли за пределы центра Москвы на гигантскую просторную территорию Ходынки. Недостаточная организация и несчастная случайность во время последней в России коронации привели к гибели сотен людей, и эта страшная трагедия навсегда стала в сознании народа мрачным предвестием гибели империи.

Малая императорская корона.
Мастер Л. Зефтиген. Санкт-Петербург.
1855 г.

Польского (бывшую корону Анны Иоанновны), надел красную порфиру с польскими орлами, ему передали державу и скипетр. На государыню он возложил золотую цепь высшего польского ордена Белого Орла[22].

Несколько раз в коронациях принимали участие императрицы-матери, поэтому их Малые короны тоже были включены в церемонию, хотя и не играли в ней ведущих ролей. Так, при «перемещении регалий» (например, из Оружейной палаты в тронный зал, в Успенский собор) им не оказывали тех почестей, коих удостаивались регалии коронуемых государей. Обычно вдовствующая императрица присутствовала в Малой короне, изготовленной для ее собственной коронации. Для молодой государыни приходилось заказывать новую. Из Малых корон сейчас в Алмазном фонде находится одна, изготовленная в 1856 г. мастером Л. Зефтигеном для супруги Александра II[23]. Сохранилась она благодаря самой Марии Александровне,

которая завещала присоединить ее к другим символам власти. И это последний по времени изготовления предмет из коронных ценностей императорского двора, дошедший до наших дней.

Во время коронации Николая II регалии Российской империи в последний раз были использованы по своему прямому назначению — их принял монарх, вступавший на престол крупнейшего государства мира. Основные символы власти были изготовлены для коронации императрицы Екатерины II или во время ее правления и на протяжении всего XIX в. не претерпели изменений. Состав коронных ценностей только расширялся и пополнялся.

Царь Николай II читает манифест при открытии I Государственной думы в Георгиевском зале Зимнего дворца. 1906 г.

Специалисты считают, что после 1906 г., когда российские императорские регалии — Большую корону, державу, скипетр, государственное знамя, мантию, меч и печать — внесли в Георгиевский (Большой тронный) зал Зимнего дворца в день открытия Первой Государственной думы, они больше никогда не использовались.

Пришло время новых идей, нового государства, которым управляли новые люди. Почти сто лет о смысле венчания на престол, об императорских регалиях никто не думал. А если о них вспоминали, то лишь как о ювелирных изделиях. Между тем эти вещи пережили своих владельцев — Рюриковичей и Романовых; пережили войны и революции, пережили сознательное забвение великого прошлого Российской империи и ее славных «добрых», «святых», «грозных», «мудрых», «веселых» правителей. «Миротворцев» и «Освободителей», как когда-то их называл народ.

Как бы причудливо и сложно ни складывалась судьба этих бесценных предметов, они всегда были отражением жизни и надежд правящего дома, государства и народа. Об этом свидетельствует то почтение, с которым на протяжении веков относились к ним монархи и их подданные. Сегодня регалии — воплощение нашего прошлого. И если мы продолжаем хранить созданные столетия назад символы власти, если при виде этих вещей с трепетом замирает сердце — значит, мы признаем, что и сегодня они оказывают определенное влияние на нашу жизнь и на ход истории.

И. Крамской. Священное коронование императрицы Марии Федоровны в Успенском соборе Московского Кремля 15 мая 1883 г.

Тронное место русских императоров.

ГДЕ И КАК ХРАНЯТСЯ ГОСУДАРСТВЕННЫЕ РЕГАЛИИ

Казенный приказ и Оружейная палата

С момента зарождения власти родилась и идея о ее божественном происхождении, что закрепило превосходство одних членов общества над другими. Божественность власти переносилась и на ее символы. Регалии издавна воспринимались как священные предметы. И в Древнем Египте, и в Древнем Китае, и в Римской империи правом обладать регалиями удостаивался только верховный правитель: фараон или император. И получал он их во время специальной церемонии, которая освящала власть, придавая ей законность.

Еще в X в. византийский император Константин VII Багрянородный, составляя советы и поучения сыну, создал правила проведения коронаций, просуществовавшие долгие столетия. Там

Христос коронует императора Константина VII. Резьба по слоновой кости. X в. Пластина, возможно, предназначалась для книжного переплета.

КОНСТАНТИН БАГРЯНОРОДНЫЙ. ОБ УПРАВЛЕНИИ ИМПЕРИЕЙ

«Если потребуют когда-либо и попросят либо хазары, либо турки, либо также росы, или какой иной народ из северных и скифских… послать им что-нибудь из царских одеяний или венцов, или из мантий ради какой-либо их службы и услуги, тебе нужно отвечать так: "Эти мантии и венцы (а венцы у вас называются камелавкиями) изготовлены не людьми, не человеческим искусством измышлены и сработаны, но… когда Бог сделал василевсом Константина Великого, первого царствующего христианина, он послал ему через ангела эти мантии и венцы… и повелел ему положить их в великой Божьей святой церкви, которая именем самой истинной мудрости Божьей святою Софией нарекается, и не каждый день облачаться в них, но когда случается всенародный великий Господний праздник… Они подвешены над святым престолом в алтаре этого самого храма и явились украшением церкви. Прочие же царские одеяния и облачения разостланными положены поверх святого сего престола. Когда же наступает праздник… патриарх берет из этих одеяний и венцов нужное и подходящее для случая и посылает василевсу, а тот надевает их, как раб и слуга божий, но только на время процессии, и вновь после использования возвращает их в церковь, и в ней сохраняются. <…> Если захочет василевс ради какой-либо нужды или обстоятельства, либо нелепой прихоти забрать что-нибудь из них, чтобы употребить самому или подарить другим, то будет он предан анафеме и отлучен от церкви как противник и враг Божьих повелений. Если же он вознамерится сам изготовить другое, подобное [этому], то пусть церковь заберет… Не имеют права ни василевс, ни патриарх, ни кто-либо иной брать эти одеяния или венцы… Так, один из василевсов, по имени Лев… в припадке неразумной дерзости забрал один из этих венцов, когда не было господнего праздника, и без согласия патриарха надел его. Тотчас… он жалким образом лишился жизни, до времени найдя смерть. …С той поры стало правилом, что василевс, прежде чем будет коронован, клянется и заверяет, что он не дерзнет сделать или измыслить ничего противного до него установленному и с древних времен соблюдаемому. И тогда он венчается патриархом и совершает и исполняет подобающее…"»

же он определил, как следует хранить и использовать исполненные сакральным смыслом государственные регалии. Эти священные предметы мало кто видел, их редко использовали, никто не имел права дотрагиваться до них. Так было везде — и на Востоке, и в Европе, и в африканских, и в американских государствах — с древнейших времен вплоть до позднего Средневековья. За нарушение заведенного порядка в отношении символов власти полагалась серьезная кара, а нередко и смертная казнь. Даже правителю дозволено было прикасаться к регалиям только во время самых важных церемоний и с совершенно определенным душевным настроем. Монарх обязан помнить, что он — хранитель установлений, созданных до него. А еще он должен понимать, что «надевает он эти венцы и царские одеяния только лишь как слуга Божий».

Во многих европейских и азиатских государствах еще в Средние века были созданы особые ведомства — сокровищницы, выполнявшие также функцию казны правителя. Они собирали и хранили самые разнообразные ценности, редкости и диковинки. Часто при сокровищницах основывали мастерские, работавшие по заказу государя. Они изготавливали роскошные вещи как для нужд двора, так и предназначавшиеся в качестве подарков, которые монарх желал преподнести. В знаменитой иранской поэме Фирдоуси «Шахнаме» правитель уговаривает высокопоставленного пленного оказать ему помощь и при этом не просто обещает заплатить из казны, но сулит показать коронные ценности:

Тебя я высшей чести удостою:
Сокровищницу пред тобой открою...

В то же время регалии несли представительские функции — демонстрировали богатство и мощь своего владельца, его политическое и экономическое влияние.

Русь, Россия, географически находясь между Востоком и Европой, получила в наследство традиции и восточного, и западного мира. «Собиратель русских земель», создатель государства Московского Иван I Калита в XIV в. строит два главнейших для православного народа храма. Архангельский собор стал усыпальницей русских князей и царей вплоть до превращения России в империю. А в Успенском соборе Кремля проходили все венчания на царство, а затем и коронации российских императоров вплоть до революции 1917 г., уничтожившей монархию в России.

В XV в. Русь становится централизованным государством. В XVI в. окончательно формулируется и закрепляется в сознании народа представление, что

Г. Г. Преннер. Императрица Елизавета Петровна. XVIII в.

Большой государственный герб императора Александра III.

Москва есть Третий Рим, т. е. прямая наследница Византии (Восточной Римской империи, или Второго Рима) со всеми присущими имперскому государству атрибутами. Тогда же складывается и великокняжеская казна — подобное европейским сокровищницам обособленное учреждение. И хотя она еще находилась в полной собственности правителя, обращение с «казенными вещами» регулировалось законом.

Все главные здания государства издавна концентрировались в Московском Кремле. Впервые в документах государева казна упоминается в правление Ивана III, который завещает сокровища младшему сыну, будущему царю Василию III. Тогда казенные вещи хранились в подклете Благовещенского собора. Вероятно, при Василии III или при его сыне Иване IV для казны выстроили между Архангельским и Благовещенским соборами специальное здание. Именно оттуда выносили регалии для парадных церемоний. Место, на котором поставили это здание, стали называть Казенный двор.

Главными сокровищами казны были так называемые дары византийских императоров — шапка Мономаха (древнейший венец) и ставротека (Крест Животворящий). Постепенно казна наполнялась разнообразными ценностями: иконами, расшитыми драгоценным жемчугом парадными одеяниями царей и патриархов, пеленами, плащаницами, покровцами. Позже к ним добавились драгоценное оружие, серебряные церковные сосуды, кадила и прочая утварь, предназначенная для служб в соборах Кремля или же представлявшая собой «вклады на помин души» родственников; Евангелия в роскошных окладах

Шествие на Соборной площади Московского Кремля в день венчания на царство Михаила Федоровича Романова. Литография 1856 г. с миниатюры 1672—1673 гг. (внизу).

Животворящий Крест. Художник Ф. Г. Солнцев. XIX в.

Первым оружничим стал в 1511 г. Андрей Михайлович Салтыков. В 1566 г. Афанасий Иванович Вяземский совмещал две высокие должности — окольничий и оружничий. С 1677 г. оружничих назначали из бояр. Чин так и назывался — «боярин и оружничий». Первым боярином, назначенным оружничим, стал Григорий Гаврилович Пушкин. Последним боярином и оружничим был в 1686—1690 гг. Петр Васильевич Шереметьев.

со вставками из драгоценных камней и самоцветов; церковные облачения из редких дорогих тканей. Так постепенно внутри казны сформировались Оружейная (1613 г.) и Серебряная (1640—1642 гг.) палаты.

Впервые название «Оружничая палата» упоминается в источниках в связи с сильным пожаром в Кремле в 1547 г., когда пострадало хранившееся в ней царское парадное оружие. Возглавлял палаты оружничий (оружейничий). Примерно в это же время создается Казенный приказ, ведавший выдачей денег и дорогих вещей. Он также находился в подчинении оружничего. Его помощники — думные дьяки и подьячие — составляли документы, в том числе и так называемые выходные книги, своего рода прообразы камер-фурьерских журналов и современных государственных пресс-релизов. Из них мы узнаем и о быте, и о государственных делах, и о царском окружении, и о людях, отвечавших, например, за государеву казну. Из восьми известных по спискам оружничих четверо — князья, остальные — из боярских фамилий.

В 1624 г. на Казенном дворе для изготовления вещей для царской сокровищницы, парадного оружия и роскошных подарков иностранным государям создаются золотых дел мастерские. Их возглавлял И. Грамотин, который начал приглашать для работы иноземцев (немцев, голландцев). А с 1627 г. во главе мастерских встал думный дьяк Е. Телепнев. Здесь работали и русские мастера, но именно «немцы», как называли тогда всех иностранцев, делали первые царские регалии. Во всяком случае, именно так говорится в документах.

Держава царя Алексея Михайловича. 1662 г. Художник Ф. Г. Солнцев. XIX в.

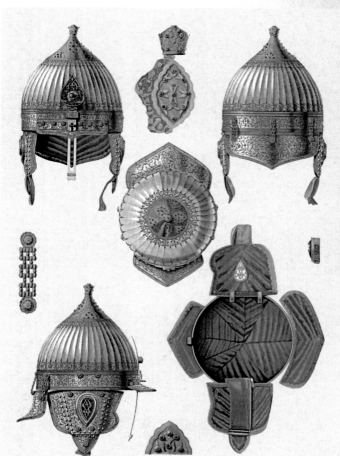

Зерцало (часть доспеха) Алексея Михайловича. Художник Ф. Г. Солнцев. XIX в.

Шлем Алексея Михайловича. Художник Ф. Г. Солнцев. XIX в.

В первой половине XVII в. вместо Оружничей палаты в документах упоминают Кремлевские мастерские и хранилища. А в скором времени древние Кремлевские мастерские, хранилища драгоценных изделий и «палаты оружничего» объединили в государевы Мастерскую и Оружейную палаты, подведомственные Казенному приказу.

К концу XVII в. Казенный приказ утратил часть своих функций. В его ведении остались только украшения, ткани, посуда, серебро и т. д. Сократился и штат служащих: там работали лишь «казначей, а с ним два дьяка». В этот период на должность казначея назначали уже не знатных вельмож, а неродовитых людей, что давало им возможность продвинуться по социальной лестнице. Как и в прежние, княжеские и царские

Серебряная зала Оружейной палаты.

Жезл Алексея Михайловича и его навершие. Художник Ф. Г. Солнцев. XIX в.

В Большой казне XVII в. регалии и ценности находились в огромных обитых бархатом сундуках, запечатанных особой государственной печатью[1]. Царь самолично назначал людей, ответственных за их сбережение. Там хранилась и «государева Большая шкатула», а в ней — коробочки с драгоценностями, обитые по моде того времени бархатом, тисненой кожей и атласом. В отдельном сундуке, по некоторым свидетельствам, берегли шапку Мономаха. Камни и некрупные вещи держали в шелковых и тафтяных мешочках, иногда заворачивали в мех, а очень «мелкие искры» крепили на красный воск и специальную бумагу[2].

Глобус Алексея Михайловича. Художник Ф. Г. Солнцев. XIX в.

С учреждением в XVII веке Оружейного приказа обязанности оружничего расширились: теперь он хранил оружие, принимал подаренное, закупал необходимое, в том числе парадное, оружие; под его руководством оружие изготавливали в мастерских Кремля. Выполнял оружничий и церемониальные функции, в частности находился при государе при вынесении в торжественные моменты парадного оружия из Большого наряда.

времена, казначей оставался человеком близким к государю и выполнял разнообразные функции, в том числе церемониальные, дипломатические.

К 1711 г. Казенный приказ вошел в состав Приказа Большой казны. Надо сказать, что к этому времени система управления, главными единицами которой являлись приказы, сильно устарела. Приказов стало слишком много, кроме того, нередко в одном приказе были сосредоточены самые разнородные дела, а порой одни и те же функции доверяли разным приказам. Реформы

Петра сломали старую государственную машину.

С целью четко разграничить обязанности, а также считая решения, принятые совещательным образом, более действенными, Петр I сформировал органы государственного управления по западноевропейскому образцу — коллегии. Правда, приказы не сразу и не полностью были упразднены.

Кадило, изготовленное по заказу Федора Алексеевича. Художник Ф. Г. Солнцев. XIX в. Вклад царицы Ирины в московский Архангельский собор в память о царе Федоре Иоанновиче. Сделан в форме кубического храма с луковичной главкой на барабане в стилистике древнерусской архитектуры. На стенках кадила — изображения апостолов и святых, соименных членам царской семьи.

Некоторые из них просуществовали еще десятилетия, постепенно уступая свои функции новым ведомствам. Окончательно следы старого приказного московского строя исчезли только с изданием в 1775 г. при Екатерине II Учреждения о губерниях.

Построив новую столицу, царь-реформатор перевел туда все управление государством, практически сформировав его заново. В Санкт-Петербург перенесли основные мастерские, часть военных трофеев, дипломатических подарков и многие другие предметы из Оружейной палаты. Туда же перебрались почти все мастера, в том числе золотых и серебряных дел, а также ювелиры-иностранцы. Но древние регалии — шапка Мономаха и троны — остались в кремлевской Оружейной палате. Они олицетворяли великокняжескую и царскую власть, но не соответствовали духу нового государства — империи, которой Россия стала в 1721 г.

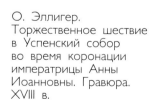

О. Эллигер. Торжественное шествие в Успенский собор во время коронации императрицы Анны Иоанновны. Гравюра. XVIII в.

Кабинет Двора Его Императорского Величества и Камер-коллегия

Кабинет Двора Его Императорского Величества, основанный Петром I в 1704 г., по сути, являлся царской канцелярией. В его ведении кроме широкого круга внутри- и внешнеполитических вопросов были также устройство Кунсткамеры и деятельность Камер-коллегии, заменившей Казенный приказ. Кабинет состоял из нескольких отделов. Один из них — Горный — ведал добычей драгоценных камней и металлов, а также всеми гранильными и шлифовальными фабриками империи. Так называемый Камеральный отдел (четвертый в составе Кабинета) заведовал делами, связанными с приобретением драгоценных камней и ювелирных изделий, предназначенных для подарков, которые высочайшие особы преподносили по случаю семейных или государственных торжеств, а также во время зарубежных визитов. Этот же отдел контролировал хранение ценностей, поступавших в качестве подношений царственным персонам. В ведомстве Кабинета находилась и существовавшая до начала XIX в. Алмазная мастерская. В конце XVIII в. в штат Кабинета ввели специалистов-оценщиков — опытных ювелиров, не работавших в мастер-

И. Б. Лампи Старший. Екатерина II. 1794 г.

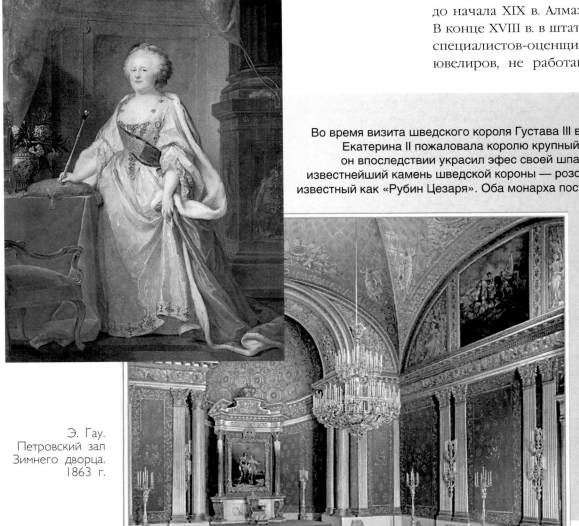

Э. Гау. Петровский зал Зимнего дворца. 1863 г.

ЦАРСКИЕ ПОДАРКИ

Во время визита шведского короля Густава III в Петербург в 1777 г. императрица Екатерина II пожаловала королю крупный безымянный бриллиант, которым он впоследствии украсил эфес своей шпаги. В ответ Густав III преподнес ей известнейший камень шведской короны — розовый турмалин весом 260 каратов, известный как «Рубин Цезаря». Оба монарха постарались не привлекать внимание к своим дарам, так как понимали, какую реакцию они могут вызвать. Ведь это был не официальный обмен дипломатическими подарками, на который составлен определенный бюджет, а спонтанный жест дружбы. В России в переписке частных лиц находим несколько упоминаний о «разбазаривании казны». В Швеции же поступок короля, как он и опасался, вызвал скандал. И много лет спустя, уже после смерти Густава, шведский посол, когда ему в Эрмитаже демонстрировали русские коронные бриллианты, неодобрительно высказался, что король «не должен был себе позволять разбрасываться государственным имуществом».

ской. В разное время в их числе были А. Г. Ремплер, Л. К. Зефтиген, А. К. Фаберже, Ю. А. Бутс.

Решение об устройстве Камер-коллегии было принято еще в 1718 г. Но, как это нередко случается в России, создавалась она неторопливо. 11 декабря 1719 г. издан регламент Камер-коллегии, определивший ее работу, в частности порядок хранения и отношение к «коронным бриллиантам». В нем скрупулезно перечислены «государству подлежащие вещи»; этот список включал в себя и регалии. Их полагалось хранить в специальном помещении, получившем название Царской Рентерии (т. е. казначейства). Статус вещей, переданных в Рентерию, тоже изменился. Отныне регалии, а к ним добавились особо ценные светские украшения и ювелирные изделия, орденские знаки с драгоценными камнями, редкости и уникумы, считались собственностью не государя, но государства. Регламент официально закрепил давнюю традицию особого отношения к подобным предметам при русском дворе. Если, например, турецкий султан, персидский шах или могольский правитель и во времена Ивана Грозного, и во времена Петра Великого, и даже Александра I мог в любой момент расплатиться драгоценностью из казны или преподнести в подарок регалию, то в России сугубо почитали эти вещи. Вольное отношение к ним осуждали.

По указу Петра I государственные ценности ни при каких условиях нельзя было продавать. Более того, как и в древности, «вещей, государству подлежащих», т. е. знаков государственной власти, никто не имел права касаться, кроме государя, патриарха (митрополита) и тех специальных людей, пользующихся почетом и уважением, кто подносил регалии царю во время коронации.

А. Антропов. Портрет Петра I. 1772 г.

Знак ордена Св. Андрея Первозванного. 1800 г.

Часы на шатлене. Золото, бриллианты, изумруды. Россия. Первая половина XVIII в.

Реальная деятельность Камер-коллегии началась лишь в 1721 г. В этом же году Петр I принял титул императора и отца народов. Поэтому в скором времени в Рентерию поступили новые императорские коронационные регалии и ордена, введенные Петром I. В состав регалий были зачислены также цепи, знаки и звезды высшего русского ордена Св. Андрея Первозванного. Позже в Рентерию передавали русские и зарубежные орденские знаки с бриллиантами, ювелирные изделия и уникальные камни.

Вопросами хранения и учета этих ценностей ведали специальные государственные служащие — рентмейстеры (казначеи). Вещи из Рентерии изъять было крайне сложно. Их доставляли только по указанию императора для проведения торжественной церемонии. Работало древнее правило «трех замков». Ключи хранились у трех разных людей — камер-президента, камер-советника и рентмейстера. Только собравшись вместе, они могли открыть замки и взять необходимые предметы. Коронации по традиции проводили в Москве. Регалии содержали в Санкт-Петербурге. Вещи для коронации — регалии, ордена, ювелирные изделия, которыми украшали себя члены августейшей и великокняжеских семей, — заблаговременно

брали из Рентерии и с надежным эскортом переправляли в старую столицу. По завершении праздничных мероприятий их осматривали, чистили и сразу, если возникала необходимость, еще в Москве, выполняли мелкий ремонт (например, закрепляли выпавшие камни). А затем аккуратно возвращали в Петербург. Реставрировали коронные ценности придворные мастера. После Петра I доступ к коронным бриллиантам упростился. Корону, скипетр, державу перестали воспринимать как священные предметы, хотя они и оставались символами верховной власти и шедеврами ювелирного искусства.

Государственные регалии. Рисунок из коронационного альбома императора Александра II.

Орден Св. Екатерины. 1860 г.

Шкатулка с монограммой Николая II. Начало XX в.

Бриллиантовые комнаты и кладовые Зимнего дворца

В XVI—XVII вв. в Европе хранилища для регалий проектировали и строили не так, как обычные здания. Как правило, это были подвалы или особые помещения с толстыми стенами и одним входом. Непременным условием являлась возможность

Сокровищницы, являющиеся одновременно и хранилищем ценностей, и своего рода музеем, на Востоке появились лишь в XIX в. Правда, и европейские монархи еще в XIX в. нередко держали ценности, которыми часто пользовались, в сейфах

Часы на шатлене. Англия. Середина XVIII в.

АЛМАЗНАЯ МАСТЕРСКАЯ

Алмазная мастерская (Мастерская Ея Императорского Величества алмазных дел) была образована при императрице Елизавете Петровне не позднее 1744 г. и действовала на протяжении всего XVIII в. Ее создание было вызвано резко возросшими потребностями в ювелирных изделиях — императрица знала толк в украшениях и, кроме того, любила ими одаривать. До появления мастерской ювелирные изделия приобретали или заказывали у частных лиц. Но и после ее создания от покупки украшений у других поставщиков не отказались. Так, с 1744 по 1753 г. на закупку драгоценностей была потрачена значительная по тем временам сумма в 47 тыс. рублей.

Алмазная мастерская оказалась буквально завалена высочайшими заказами. Изготавливала она вещи разные по стоимости — нагрудные знаки, ордена, табакерки, шатлены, эфесы шпаг и др. Были и произведения крупные, монументальные, например рака Александра Невского. Ювелиры, принятые в Алмазную мастерскую, работали на «казенном сырье». Контролировали расход драгоценных материалов весьма жестко. Караульным (солдатам гвардейских полков) предписывалось неотступно следить за работой мастеров. Драгоценные камни, выданные им, пересчитывали порой по нескольку раз в день, проверяли вес металлов, учитывая норму их угара. В разные годы мастерская занимала разные помещения, однако всегда располагалась поблизости от Зимнего дворца. Возглавляли мастерскую ведущие ювелиры Петербурга.

организовать усиленную охрану, а также при необходимости и демонстрацию ценностей. Так были устроены сокровищницы австрийских монархов, кунсткамеры германских князей, позднее — сокровищницы скандинавских, чешских и польских королей. На Востоке — в Турции, Персии, Индии и других странах — казна вместе с символами власти с древнейших времен не имела определенного местоположения, переезжала вместе с правителем, сопровождая его и в мирной жизни, и в военных походах.

или иных специальных помещениях в пределах доступности. Так, британская королева Виктория хранила в сейфе в своей спальне Малую корону, которую очень любила. При этом основные регалии уже несколько десятилетий выставлялись в Тауэре под надежной охраной.

Витрина с произведениями Фаберже. Фотография с выставки. Санкт-Петербург. 1902 г.

Бриллиантовая
кладовая
Государственного
Эрмитажа.
Санкт-Петербург.

При Петре I помещение, в котором хранили коронные ценности, стали называть Бриллиантовым кабинетом. В нем регалии находились с момента постройки Зимнего дворца почти до Первой мировой войны. По традиции Бриллиантовые комнаты почти всегда располагались в личных покоях, в непосредственной близости от царских опочивален.

Петр I к ювелирным изделиям относился весьма сдержанно, но при его наследниках и наследницах содержимое Бриллиантового кабинета разрасталось. Очень любила красивые вещи Елизавета Петровна, хорошо разбиравшаяся в камнях. Она заказывала немало украшений, занявших достойное место в хранилище ценностей. Мастерские изготавливали и огромное количест-

Едва вступив на престол, Екатерина II начала обновление парадной опочивальни. Работы завершились довольно быстро, менее чем за два года. По указу императрицы провели инвентаризацию коронных ценностей и имущества и создали новое хранилище, отличавшееся и от древней Оружейной палаты, и от иных сокровищниц. Апартаменты, где хранились регалии, стали доступны для определенного круга придворных, они совсем не походили на сейф или неприступный подвал. Здесь бывали высокие иностранные гости[3], тут же принимали приближенных.

Серебряные сосуды работы фирмы Фаберже. Фотография с выставки. Санкт-Петербург. 1902 г.

Натруска для заправочного пороха с вензелем Елизаветы Петровны и гербом Российской империи. Россия. Середина XVIII в.

Табакерка «Лизетта», принадлежавшая Екатерине II. Россия. 1777 г.

во вещей для подарков. И если до Елизаветы Петровны все, что выходило из моды, размонтировали, а из камней и драгоценных металлов делали новые, современные украшения, то теперь роскошные броши, эгреты, серьги начали сохранять в неприкосновенности.

В своих мемуарах княгиня Е. Р. Дашкова вспоминает довольно долгий период, когда она по приглашению Екатерины II почти каждый день проводила утро в Бриллиантовом кабинете, присутствуя «при чесании головы» императрицы и беседуя на важные государственные темы[4]. Иногда в холодные дни там совершалась церковная служба. А однажды императрица устроила в сокровищнице карточную игру в честь рождения внука. С выигравшим партнёром Северная Семирамида рассчитывалась бриллиантами, зачерпывая их маленькой ложечкой[5].

Табакерка «Чесменская». Россия. 1771 г. Заказана императрицей Екатериной II для подарка графу А. Г. Орлову.

Г. К. Гроот. Великая княгиня Екатерина Алексеевна. Середина 1740-х гг. Будущая императрица изображена со звездой и лентой ордена Св. Екатерины.

хранились у доверенной придворной дамы — камер-юнгферы. Должность эта была пожизненной.

Драгоценностей в Бриллиантовом кабинете скопилось так много, что порой их подолгу не могли отыскать и полагали пропавшими. В записке, адресованной светлейшему князю Г. А. Потемкину, Екатерина II просит передать митрополиту Платону богатый дар — панагию с крупным изумрудом. При этом сообщает, что панагию эту, выполненную знаменитым Л. Д. Дювалем, она считала пропавшей, а оказалось, что драгоценная вещь «лежала в ящике таком, в который два года никто не заглядывал».

Описывая Бриллиантовый кабинет, современники отмечали, что государственные регалии стояли в центре, под хрустальным колпаком, а вдоль стен размещались застекленные шкафы, где хранилось огромное множество украшений, осыпанных драгоценными камнями орденов, различных табакерок, несессеров, часов, эфесов шпаг, набалдашников тростей и других изделий, из которых Екатерина II выбирала предметы для пожалований. Когда ценности, купленные или полученные в качестве даров, переставали помещаться в имеющиеся шкафы, добавляли новые. Ключи от шкафов

Бриллиантовая кладовая Государственного Эрмитажа. Санкт-Петербург.

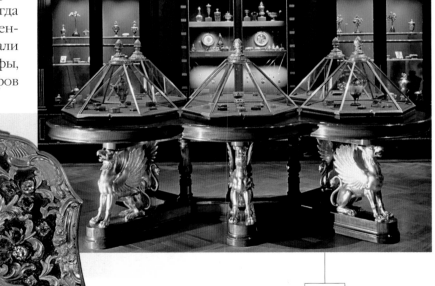

Табакерка. Россия. Середина XVIII в. Мода на нюхание табака в Екатерининское время достигла своего пика, превратив табакерку в обязательную деталь светского образа жизни. Табакерки, созданные И. Позье и Ж. Ж. Дюком, — подлинные произведения искусства.

СПЕЦИАЛЬНЫЕ КЛАДОВЫЕ ЗИМНЕГО ДВОРЦА В XIX — НАЧАЛЕ XX ВЕКА

В XIX в. в Бриллиантовой комнате Зимнего дворца (позже она носила название кладовая № 1) хранили государственные регалии и коронные бриллианты. При Александре I были учреждены еще две специальные кладовые, подведомственные Камеральному отделению Кабинета Его Императорского Величества, — № 2 и № 3. Коллекция коронных бриллиантов постепенно пополнялась, главным образом за счет ювелирных изделий, принадлежавших лично императрицам. Часть этих ценностей передавалась по наследству детям, внукам, другая становилась государственной собственностью. В «Описи коронных бриллиантов» середины XIX в. значилось 375 предметов.

В отличие от сокровищ кладовой № 1, подлежащих вечному хранению, ювелирные изделия и драгоценные камни из кладовой № 2 представляли собой некий переменный фонд ценностей, предназначенных для подарков, а также как источник материалов для изготовления новых изделий.

Для подарков предназначались и вещи, хранившиеся в кладовой № 3, где были работы камнерезов Екатеринбургской и Колыванской фабрик, Петергофского завода, а также императорских фарфоровых, стекольных и хрустальных заводов.

Из кладовой № 2 поступали орденские знаки и звезды, в том числе бриллиантовые знаки ордена Андрея Первозванного; бриллиантовые шифры для фрейлин императриц (вензель государыни на банте); табакерки

Плакат, выпущенный к 300-летию дома Романовых. 1913 г.

Сигаретница. Мастер Г. Ньюканен. 1911 г. Высочайше пожалованный подарок.

и перстни с вензелем императора и соответствующей миниатюрой, предназначенные для официальных даров, а также многочисленные ювелирные изделия, которые вручали различным лицам от имени государя. Закупали такие изделия целыми партиями у ведущих ювелирных фирм. Известно, что время от времени императрица Мария Федоровна просматривала новые поступления и некоторые вещи забирала в свои апартаменты. Иногда императорская чета лично выбирала вещи для подарков. Прима-балерина Мариинского театра М. Ф. Кшесинская вспоминала, что в честь 10-летия службы на императорской сцене получила не «банальную вещицу с какими-нибудь драгоценными камнями и царским гербом, а великолепную брошь от Фаберже в виде свернувшейся клубком бриллиантовой змеи с крупным сапфировым кабошоном посредине». Лукавая звезда балета не преминула добавить: ей сказали, что император сам выбирал брошь вместе с супругой[6].

В кладовой № 2 подбирали приданое великих княжон. Свадебные ювелирные коллекции включали несколько колье, а также диадемы, браслеты, серьги, фермуары, склаважи, туалетные гарнитуры и другие предметы. Некоторые украшения заказывали специально, из камней, хранящихся в кладовой. Стоило приданое чрезвычайно дорого. Так, бриллиантовое приданое великой княгини Александры Павловны оценивалось в 1801 г. в 600 тыс. рублей, а великой княгини Ольги Николаевны в 1846 г. — более чем в 450 тыс. рублей. При этом рубль Николая I стоил почти в пять раз дороже павловского рубля 1801 г[7].

Из кладовой № 2 поступали драгоценные камни и ювелирные изделия, предназначенные на лом, переплавку и переделку для крупных подарков, например в честь рождения очередного ребенка в царской семье.

Большие заказы царская семья делала в 1912—1913 гг. в связи с празднованием 300-летия дома Романовых. Они включали сувениры с геральдическим грифоном — эмблемой рода Романовых — и изображениями древних символов государственной власти. Заказы разместили в трех проверенных фирмах: фирме Фаберже — на сумму 120 тыс. рублей, фирме Болина — на 40 тыс. и фирме Иванова, славившейся работами по камню, — на 45 тыс. рублей.

Кладовая № 2 хранила и закупала драгоценные камни для новых изделий. Здесь находились редкие образцы камней, в том числе исключительного кроваво-фиолетового цвета уральские аметисты, поступившие во дворец еще при Екатерине II, или превосходные уральские изумруды.

К сожалению, летом 1906 г. коллекция была продана на торгах в Париже за 1 млн 75 тыс. рублей по решению лично Николая II. Вырученные средства поместили под большой процент в банк за границей. Однако после свержения монархии казна России лишилась и камней, и денег за них, осевших на счетах царской семьи в зарубежных банках.

ПОЖАРЫ В ЗИМНЕМ ДВОРЦЕ

«Грустно с нами прощается 1837 год», — писали очевидцы страшного пожара, погубившего гордость Санкт-Петербурга — Зимний дворец. Пожар длился всю ночь с 17 на 18 декабря, выгорели полностью второй и третий этажи и две дворцовые церкви. Огонь был виден за 50—70 верст от столицы. Погибло около 30 человек. Но этот же пожар выявил характер царя Николая I, а также любовь и уважение, питаемые народом к монаршей семье.

Императора вызвали из театра, где он смотрел балет «Баядерка» с несравненной Марией Тальони в главной роли. Тотчас же, как был, в парадной одежде и с биноклем на груди, он прибыл на Дворцовую площадь и лично командовал работами по возведению преград огню и спасением ценностей, появляясь, как казалось очевидцам, повсюду. Самой главной его целью было не допустить возгорания Эрмитажа, вынести по возможности святые мощи, иконы и образа, а также спасти «половину» императрицы с ее любимыми картинами и драгоценностями Бриллиантового кабинета. В работах были заняты солдаты Преображенского и Павловского полков и команда гофинтендантского ведомства. Работали самоотверженно и в удивительном порядке. Но «весь дворец, с одного конца до другого, представлял пылающее море огня, огромный костер, увлекавший все в своем постепенном падении», — вспоминал генерал-майор Баранович. Осознав, что здание спасти не удастся, государь приказал выносить ценные вещи, не трогая статуй, шкафов, вмонтированной в стены мебели. Когда он увидел, как в готовой обрушиться зале несколько человек пытаются оторвать от стены зеркало в золоченой раме, он сдернул с шеи бинокль и, запустив им в зеркало, разбил его. «Ваша жизнь мне дороже имущества!» — крикнул Николай I солдатам.

Император дал команду складывать спасенные ценности вокруг пьедестала Александровской колонны на Дворцовой площади, а не стараться сразу развезти все по местам временного хранения, как это пытались делать, устраивая суматоху и теряя время. Первым делом вынесли портреты из Галереи героев 1812 года, церковную утварь и иконы. Успели эвакуировать многое из покоев императрицы, включая регалии. Барон Мирбах вспоминал, как был огорчен государь, когда, придя в спальню императрицы, обнаружил ящик, где хранились бриллианты, пустым. Впоследствии выяснилось, что доверенная камер-фрау госпожа Рорбек пыталась вытащить из огня ящик, но он оказался слишком тяжелым, и она просто спасла сами драгоценности. Участник событий граф Адлерберг свидетельствует: несмотря на то что «люди, выносившие вещи, были бог знает кто», а вещи клали прямо на снег и поначалу без всякой охраны, «из множества вещей, пролежавших на площадях более суток, ничего не было похищено или потеряно». Зафиксировали единственный случай мародерства — солдат-гвардеец украл серебряный кофейник и безуспешно несколько дней пытался его продать. Во всем городе не нашлось никого, кто захотел бы купить вещь с императорским гербом! Вор был схвачен. Адлерберг вспоминает: «Одна только золоченая вещица, кажется, браслет, сначала не отыскалась. Но с наступлением весны его нашли в оттаявшем снегу и представили императрице». Такое почтение к августейшей семье тогда никого не удивляло. На снегу Дворцовой площади ценное царское имущество перемешалось со скарбом лакеев, поваров, рабочих, трубочистов и т. п. По разным данным, в Зимнем дворце на тот момент проживало от трех до трех с половиной тысяч человек[8].

Регалии пережили восстановление Зимнего в Аничковом дворце и, как обещал Николай I в ночь пожара, через год, к Пасхе, все вернулись в царский дом.

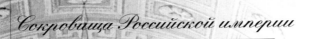

Б. Грин. Пожар в Зимнем дворце 17 декабря 1837 года.

Серьги-«вишенки» Екатерины II. Золото, серебро, бриллианты. Санкт-Петербург. Вторая половина XVIII в.

Благодаря Екатерине II в Россию попали многие всемирно известные драгоценные камни: их закупали за границей, как правило, за государственный счет. Такие вещи становились частью государственного имущества[9].

Хранилищами коронных драгоценностей Бриллиантовые кабинеты (или Бриллиантовые комнаты) оставались вплоть до начала XX в. Но каждый новый хозяин Зимнего дворца менял их местоположение. Таким образом, за 200 лет перепланировали почти все помещения Зимнего дворца. Бриллиантовый кабинет переезжал несколько раз.

В царствование Александра I личное отношение к регалиям еще сильнее поменялось. Русские императоры XIX в. и художникам позировали в военной форме чаще, чем в парадной гражданской одежде. Если на портретах голову Павла I еще украшает корона, а плечи — мантия, то на официальных портретах его сына регалии хотя и присутствуют, но занимают место на столе, на подушках, в отдалении, подчеркивая статус изображаемого лица, но не выдвигаясь на первый план. Изменился и сам процесс создания парадного

Табакерка с миниатюрой императора Александра III. Мастер Д. Реландер. 1824—1825 гг.

СВАДЕБНЫЙ УБОР ВЕЛИКОКНЯЖЕСКИХ НЕВЕСТ

Драгоценные ювелирные украшения и церемониальные предметы являлись важным элементом торжеств, связанных с бракосочетанием великих князей и княжон дома Романовых. Так, в 1884 г. к свадьбе великого князя Сергея Александровича и гессен-дармштадтской принцессы, получившей в России имя Елизаветы Федоровны, для новобрачной были исполнены бриллиантовые знаки ордена Св. Екатерины, а также роскошные ожерелья, броши и золотой веер. Кроме того, невеста с благодарностью приняла две иконы «Спас Нерукотворный» и «Богоматерь Феодоровская» в золотых с драгоценными камнями окладах.

В день венчания рано утром невесту усадили перед огромным зеркалом в роскошной золотой раме, изготовленной для императрицы Анны Иоанновны в 1740 г. Перед этим зеркалом причесывали перед свадьбой всех великих княжон начиная с Екатерины II. Когда дело дошло до закрепления на голове невесты диадемы и маленькой великокняжеской короны, шпильки парикмахеру подавала сама императрица Мария Федоровна. По обычаю свадебный убор невесты дополняли бриллиантовые ожерелье и серьги, которые, как и диадема, некогда принадлежали Екатерине II. Их специально для свадеб выносили из Бриллиантовой комнаты Зимнего дворца. Серьги украшают огромные 15-каратные бриллианты-солитеры. Они, как ягоды вишни, висят на длинных золотых стебельках. Тяжёлые, почти по 30 г каждая, серьги больно оттягивали мочки. Недаром великая княжна Мария Павловна-младшая, двоюродная сестра императора Николая II, во время свадебного пира со шведским кронпринцем просто сняла их и повесила на фужер, зацепив дужками за край, чем очень повеселила гостей.

Свадебная фотография великой княгини Елены Владимировны. 1902 г. На невесте — диадема, венчальная корона, серьги-«вишенки», аграф.

портрета в регалиях. Император или императрица позировали художнику, а затем его допускали в Бриллиантовый кабинет, где мастер дописывал регалии с натуры, но отдельно от модели.

Регалии постепенно теряют сакральный смысл, они уже не ощущаются правителем как нечто неотъемлемое от его образа и статуса. Они все более превращаются в музейные экспонаты. В 1809 г. Александр I подписал решение о создании на базе Оружейной палаты музея. Строятся новые помещения в Кремле. В Санкт-Петербурге организовано специальное хранилище — Бриллиантовая кладовая, куда перенесли часть ценностей из Бриллиантового кабинета. Но регалии остаются в Бриллиантовом кабинете и покидают его лишь однажды, после обширного пожара в Зимнем дворце в 1837 г. На время реставрации Бриллиантового кабинета их поместили в Анич-

ков дворец. Но уже менее чем через два года вернули обратно.

Демонстрация коронных ценностей становится потребностью времени, входит в моду. В 1848 г. в одной из галерей Малого Эрмитажа создается Галерея драгоценностей, подобная тем, что существуют в парижском Лувре и лондонском Тауэре. Она открыта для регулярного публичного посещения и с 1910 г. переводится в Новый Эрмитаж. Однако главные ценности — подарки и украшения XVIII и XIX вв., а также символы государственной власти — не покидали Зимнего дворца до Первой мировой войны. При Александре II все Бриллиантовые кабинеты объединили в одну Бриллиантовую комнату[10].

Витрина с произведениями Фаберже. Фотография с выставки. Санкт-Петербург. 1902 г.

Палисандровая гостиная императрицы Александры Федоровны в Александровском дворце. Царское Село.

Блюдо. Дерево, позолоченное серебро. Памятный подарок Николаю II от Донского дворянства. Фирма Болина. Москва. 1896–1908 гг.

XX век и судьба драгоценностей дома Романовых

При всем драматизме революционных потрясений и войн начала XX в. судьба коронных ценностей России сложилась удачнее, чем судьба сокровищ других европейских монархов, которые оказались разбросанными по всему свету либо попросту уничтоженными. Такая участь постигла, например, коронные ценности Франции, исчезнувшие во время Великой французской революции вместе со знаменитым собранием алмазов кардинала Мазарини. В середине XVII в. по приказу Кромвеля сняли драгоценные камни с королевских регалий Великобритании, а художественное серебро королевских дворцов перелили в монету.

Коронные сокровища Российской империи, рассматривавшиеся прежде всего как символы государственности, с вступлением России в августе 1914 г. в Первую мировую войну спешно перевезли в Москву и передали в распоряжение Московского дворцового управления. Их разместили в подвале Оружейной палаты Кремля.

После Февральской буржуазно-демократической революции и отречения от престола Николая II эвакуация ценностей из дворцов Петрограда и пригородов по распоряжению Временного правительства продолжилась. Многочисленные новые грузы заполнили и здания, и подвалы Оружейной палаты и Большого Кремлевского дворца. В подвале Оружейной палаты они наглухо заблокировали стоявшие там ящики с регалиями и драгоценностями из Бриллиантовой комнаты Зимнего дворца.

Среди имущества, перевезенного в Москву в мае — сентябре 1917 г., оказались работы ювелиров, хранившиеся в резиденции императрицы Марии Федоровны — Аничковом дворце, и ценности из Александровского дворца в Царском Селе, которые передала представителям Временного правительства императрица Александра Федоровна перед отправкой царской семьи в Тобольск, а затем в Екатеринбург. Вещи были главным образом хрупкие, сложные для транспортировки: среди них 10 пасхальных яиц

Часы карманные с миниатюрой императрицы Марии Александровны. Швейцария. 1855—1860 гг.

Сортировка ценностей в Гохране. 1922 г.

Зал Оружейной палаты, где экспонируются редкие коллекции предметов прикладного искусства западной и восточной работы, привезенных в Москву иностранными послами в дар русским царям.

работы Фаберже, знаменитые objects d'art — изящные хрустальные стаканчики с будто бы живыми цветами. Здесь же оказалась и золотая корзиночка с жемчужными ландышами, будто растущими из напоминающих лесной мох золотисто-зеленых кристаллов уваровита. В свое время эту корзиночку поднесли императрице сибирские купцы и предприниматели на Нижегородской ярмарке. Александра Федоровна любила ее и всегда хранила в своей опочивальне. Позже этот сувенир оказался в частном собрании в США.

Ящики с ценностями, вывезенными из дворцов, находились в подвале здания Оружейной палаты до весны 1922 г., пока не приступила к работе Комиссия по учету и сосредоточению ценностей,

В Оружейной палате хранилась тасса (от *фр.* tasse — «чашка») — крупная выточенная из нефрита чаша с невысокими бортами, выполненная в духе неоренессанса ведущим мастером фирмы Фаберже М. Е. Перхиным. Ажурные ручки тассы украшены цветными эмалями и алмазами. На золотом диске, служащем основанием чаши, чернением наведена памятная надпись о том, что чаша была заказана в качестве свадебного подарка императорской чете от петербургской еврейской общины. Теперь чаша хранится в собрании Гохрана России.

Ландыши. Мастер А. Хольстрем. Фирма Фаберже. 1896 г.

Нефритовое блюдо. Мастер М. Перхин. Фирма Фаберже. 1899 г.

созданная распоряжением Совета народных комиссаров. Комиссии предстояло обследовать скопившиеся в Оружейной палате и Большом Кремлевском дворце произведения живописи, скульптуры, декоративно-прикладного искусства, составить их описи, отделив предметы высокого художественного уровня от вещей, которые можно было бы расценить как «объекты роскошного дворцового быта». При этом СНК предполагал, что комиссия определит

ся минералог академик А. Е. Ферсман. Возглавил комиссию Г. Д. Базилевич — бывший подполковник царской армии, служивший в аппарате председателя Реввоенсовета Л. Д. Троцкого.

Знания и большой профессиональный опыт членов комиссии позволили в кратчайшие сроки провести изучение предметов, поднять архивные документы, связанные с историей отдельных вещей. Описание ценностей и их художественная фотосъемка легли в

Пасхальное яйцо «Пятнадцатая годовщина». Мастер Г. Вигстрем. Фирма Фаберже. 1908–1917 гг.

Изделия фирмы Фаберже. Конец XIX – начало XX в.

круг предметов для последующей продажи с целью получить средства для борьбы с послевоенной разрухой и голодом. В состав комиссии кроме экспертов Гохрана, художников-ювелиров А. К. Фаберже, А. Б. Бока, А. Ф. Котлера, Б. Е. Масеева, вошли также крупные ученые — историки, искусствоведы, минералоги: директор Эрмитажа С. Н. Тройницкий, заведующий Оружейной палатой Д. Д. Иванов, главный хранитель Архива иностранных дел С. К. Богоявленский и др. Руководил группой специалистов выдающий-

основу каталога, изданного Наркомфином СССР в 1924—1926 гг. В него вошли сведения о 271 предмете, которые были представлены на выставке, открывшейся в Доме союзов в Москве 18 декабря 1925 г. Выставка стала ярким явлением в культурной жизни страны.

Вместе с тем демонстрация коронных ценностей явилась хорошо рассчитанным маркетинговым ходом СНК. На ней потенциальные зарубежные покупатели могли детально рассмотреть ювелирные изделия и драгоценные камни из Бриллиантовой комнаты

Н. К. Бондаревский.
Императрица
Александра
Федоровна.
1907 г.

Брачный венец
императрицы
Александры Федоровны.
Конец XIX в.

ционах в Париже, Берлине, Вене, Нью-Йорке. В перечне предметов, вывезенных из Гохрана в 1931 г., значились, в частности, семь яиц из императорской пасхальной серии. Дальнейшая судьба этих сокровищ скрыта от мира. Ведь большинство владельцев не выставляют напоказ свои коллекции.

В 1927 г. самым ценным экспонатом, видимо, единственного публичного аукциона коронных ценностей дома Романовых стал брачный венец императрицы Александры Федоровны, скомпонованный из фрагментов бриллиантовых нашивок екатерининского времени. Венец украшали 1535 бриллиантов старинной огранки. Затем, несколько раз сменив владельцев, в 1966 г. венец оказался в собрании американской мультимиллионерши Марджори Пост, которая коллекционировала драгоценности, некогда принадлежавшие коронованным особам Европы. Вскоре она передала венец вместе с другими драгоценностями на хранение в Музей естественной истории в Вашингтоне.

Зимнего дворца. К этому времени Комиссия по учету и сосредоточению ценностей, выполняя требования СНК, в основных чертах определила судьбу ценностей. Часть их, и прежде всего государственные регалии, выделили в особую группу предметов «большого исторического значения», часть возвратили в Эрмитаж. Но значительное число драгоценных камней и работ ювелиров XVIII — начала XIX в. было продано за границу.

Одним из первых покупателей в конце 1926 г. оказался английский антиквар Норман Вейс, сразу же перепродавший приобретенные ценности аукционному дому Кристи. Уже в марте 1927 г. на торгах Кристи в Лондоне было представлено 124 лота.

В конце 1920-х — начале 1930-х гг. ценности неоднократно изымались из Гохрана для продажи на аук-

Прошло еще три десятка лет. Для нашей страны они были отмечены победой в Великой Отечественной войне, трудными годами восстановления разрушенного хозяйства, эпохой промышленного строительства. В ноябре 1967 г. в СССР праздновали 50-летие Октябрьской революции. В череде торжественных мероприятий оказалось и открытие в Кремле экспозиции Алмазного фонда СССР. Со временем экспозиция стала постоянной. В одном из залов, переливаясь мириадами искр, сверкают алмазы из богатейших месторождений Якутии, промышленная разработка которых началась в конце 1950-х гг. Через 10 лет Советский Союз выдвинулся в число ведущих алмазодобывающих стран мира, став обладателем огромных запасов стратегического сырья. В витринах зала выставлены бриллианты, ограненные на отечественных предприятиях, изумруды, топазы, аквамарины, аметисты из месторождений

Урала и Сибири, а также роскошные ювелирные изделия, выполненные современными мастерами России.

Второй зал поражает воображение сокровищами прошлого, некогда хранившимися в Бриллиантовой комнате Зимнего дворца, — это государственные регалии Российской империи, уникальные драгоценные камни и уцелевшие после всех потрясений ювелирные изделия работы выдающихся мастеров XVIII — первой половины XIX в. Вместе с уникальными произведениями ювелирного искусства, представленными в Галерее драгоценностей Эрмитажа, и сокровищами Оружейной палаты Кремля они служат символами отечественной истории, выраженными в бесценных творениях художников прошлого.

В наши дни научные сотрудники музеев ведут кропотливую исследовательскую работу, изучая творческую манеру мастеров прошлого и архивные материалы, связанные с историей создания и дальнейшей судьбой их неповторимых творений. Так, в 1984—1988 гг. специалисты геммологической лаборатории Гохрана изучили большую группу драгоценных камней из собрания Бриллиантовой комнаты Зимнего дворца, впервые в истории применив современные методы инструментального исследования. Результатом проведенной работы стали корректировка сведений о происхождении ряда камней, их «привязка» к определенным месторождениям, а также уточнение их истории.

Государственным регалиям России сильно повезло. Стараниями многих государственных деятелей, императоров, хранителей и экспертов большая их часть дошла до наших дней. Повезло и нам, русскому народу, российской державе. Как воинское подразделение существует до тех пор, пока живет полковое знамя, так и с символами власти: государство процветает, пока сберегаются его регалии. Сотни лет в России гордились и дорожили ими. И сегодня хранящиеся в Оружейной палате, Алмазном фонде и Эрмитаже изумительные предметы защищают наши завоевания, освящают нашу историю. Они все еще несут свою вахту — соединяют прошлое и настоящее великой России.

Император Николай II и король Англии Георг V в парадных мундирах, украшенных бриллиантовыми орденами и знаками отличия.

Ценности Алмазного фонда в Гохране. Фотография 1924 г.

Миниатюрная копия императорских регалий. Мастер Ю. Раппопорт. Фирма Фаберже. 1899—1908 гг.

Исторические камни Алмазного фонда России

Предметом гордости всех крупных государственных сокровищниц мира являются редкие образцы драгоценных камней, имеющие не только материальную, но и историческую, научную ценность. Среди трех богатейших коллекций мира — английской, иранской и российской — собрание Алмазного фонда занимает особое место. Практически все хранящиеся в нем драгоценности отличаются долгой и любопытной историей. Описывая в 1924—1926 гг. ценности Бриллиантовой комнаты Зимнего дворца, знаток и ценитель камня академик А. Е. Ферсман особо выделил семь камней, назвав их историческими. Это три алмаза и четыре цветных камня изумительной красоты. В наши дни специалисты и хранители Алмазного фонда считают, что этот список можно расширить.

Один из самых крупных и восхитительных алмазов в мире — «Орлов», крупнейший из добытых некогда в Индии. Первоначальная история камня окутана легендами, уходящими в глубину веков. Единственное, в чем сходятся исследователи, — алмаз был обнаружен в копях Голконды в центре Индии в конце XVI — начале XVII в. и представляет собой часть более крупного кристалла.

В начале XVII в. камень попал к правителю Индии Шах-Джахану из династии Великих Моголов. После завоевания Индии персидским шахом Надиром в 1739 г. он оказался в шахской сокровищнице, а через восемь лет империя распалась, и драгоценности были разграблены. Далее начинается история, более или менее похожая на реальность. Она связана с именем богатейшего армянского купца из Новой Джульфы в Персии Григория Сафраса Ходжеминасова. Однажды к Сафрасу пришел афганский офицер и предложил приобрести у него огромный алмаз. Посоветовавшись с братьями, купец купил алмаз и пригоршню самоцветов в придачу,

Шах-Джахан на Павлиньем троне. Миниатюра. Могольская школа. Около 1635 г.

Бриллиант представляет собой абсолютно чистый кристалл с едва уловимым голубовато-зеленым нацветом. Его масса — 189,62 карата. По величине «Орлов» чуть больше голубиного яйца — 47,6 × 34,9 мм. Алмаз огранен в виде высокой индийской розы. Асимметричная форма розы объясняется желанием индийских огранщиков максимально сохранить величину камня, что, согласно поверьям, позволяет удержать заряд магических сил, которыми его наделила природа.

Навершие императорского скипетра с алмазом «Орлов».

заплатив 50 тыс. пиастров. Тщательно обдумав выгоды, которые обещала перепродажа камня в Европе, Сафрас продал право владения половиной сокровища своему племяннику, петербургскому банкиру и ювелиру Ованесу (Ивану) Лазареву. Алмаз доставили в Амстердам и поместили в сейф одного из банков. Начались поиски достойного покупателя.

И. П. Аргунов.
Портрет Екатерины II.
XVIII в.

Екатерина понимала, что ей не к лицу открыто приобретать камень фантастической стоимости. На помощь государыне пришел князь Г. Г. Орлов, которому государыня рассказала о своем желании украсить скипетр уникальным алмазом. Он и выступил в роли покупателя. В ходе переговоров из Амстердама была получена точная копия алмаза, выточенная из хрусталя. Учитывая форму и размер камня, придворный ювелир Леопольд Пфистерер изготовил золотой скипетр, в верхней части которого под эмалевым двуглавым орлом предстояло закрепить алмаз. С Сафрасом сторговались на 400 тыс. рублей с рассрочкой выплаты на семь лет. Кроме того, семье купца жаловалось потомственное дворянство.

Неизвестный художник. Портрет Г. Г. Орлова. XVIII в.

Приобрести раритет в ту пору могла только Екатерина II. Остальным претендентам он оказался не по карману. А честолюбивая императрица рассудила, что самый крупный в мире алмаз должен принадлежать ей — властительнице огромной империи. 24 ноября 1773 г., в день своего тезоименитства, Екатерина II получила из рук Г. Орлова скипетр с алмазом, крупнее которого тогда не было ни у кого из европейских монархов. Придворные, перешептываясь, разносили новость: «Орлов преподнес государыне камень вместо именинного букета цветов». Так и назвали алмаз — «Орлов», хотя в литературе его также величают «Амстердамским» или «Лазаревским».

Вот как описывает этот алмаз французский купец Жан Батист Тавернье: «...Он представлял собою розу, круглую и весьма высокую с одной стороны. На нижнем ребре была небольшая выемка и в ней маленькая зеркальная поверхность. Вода камня прекрасная, и весит он 280 наших каратов. Когда Миргимола, предавший своего властелина владетелю Голконды, подарил этот камень Джехан-шаху (отцу Ауренг-Зеба), у которого он укрылся, камень был еще в сыром виде и весил 900 ратисов, что составляет $787^{1}/_{4}$ карата...»

Другой всемирно известный алмаз «Шах» (88,7 карата) попал в сокровищницу российских императоров в 1829 г. в составе даров персидского шаха, доставленных посольством принца Хосрева-Мирзы. Посольство прибыло в связи с трагическими событиями — разгромом фанатиками русской миссии в Тегеране и гибелью ее главы, поэта и дипломата А. С. Грибоедова.

Алмаз «Шах», который, без преувеличения, знают во всем мире, был обнаружен в копях Голконды в конце XVI в. Он имеет форму сильно вытянутого восьмиугольника с плоскими гранями. Камень сохранился в почти нетронутом виде. Он безукоризненно прозрачен, но имеет ярко выраженный желтовато-бурый нацвет. По воспоминаниям французского купца и путешественника XVII в. Жана Батиста Тавернье, много раз посещавшего Индию, алмаз этот служил талисманом правителей и висел над троном в приемном зале. Камень был закреплен за желобок, опоясывающий его верхнюю часть.

Третий из уникальных индийских алмазов — «Портретный», или «Тафельштейн». Он считается крупнейшим в мире среди подобных ему. Вес камня — 25 каратов. Он имеет природную форму остроугольной пластины размером 4,0 × 2,9 см и толщиной 2,5 мм. В мире существуют еще лишь два алмаза такой формы, приближающиеся к нему по величине, весом 20 и 15 каратов, они хранятся в сокровищнице Ирана. Свое название алмаз получил в связи с модой на портретную миниатюру, которой украшали портсигары, браслеты, броши, перстни и часы. Камень редкой формы из сокровищницы императоров России был использован для украшения золотого браслета неоготического стиля, выполненного в память об Александре I. Под этот алмаз в центре браслета поместили миниатюру с изображением императора.

Почти 350 лет среди коронных ценностей России находится благородная шпинель исключительной величины и весом 400 каратов, которая с 1762 г. венчает большую императорскую корону. Этот камень густого красного цвета,

Портрет шаха Персии Фатх-Али. XIX в.

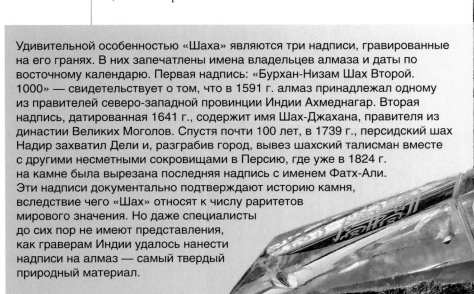

Удивительной особенностью «Шаха» являются три надписи, гравированные на его гранях. В них запечатлены имена владельцев алмаза и даты по восточному календарю. Первая надпись: «Бурхан-Низам Шах Второй. 1000» — свидетельствует о том, что в 1591 г. алмаз принадлежал одному из правителей северо-западной провинции Индии Ахмеднагар. Вторая надпись, датированная 1641 г., содержит имя Шах-Джахана, правителя из династии Великих Моголов. Спустя почти 100 лет, в 1739 г., персидский шах Надир захватил Дели и, разграбив город, вывез шахский талисман вместе с другими несметными сокровищами в Персию, где уже в 1824 г. на камне была вырезана последняя надпись с именем Фатх-Али. Эти надписи документально подтверждают историю камня, вследствие чего «Шах» относят к числу раритетов мирового значения. Но даже специалисты до сих пор не имеют представления, как граверам Индии удалось нанести надписи на алмаз — самый твердый природный материал.

Алмаз «Шах».

прозрачный, с чуть подшлифованной поверхностью, сохранился в своей природной форме. По весу его превосходит лишь шпинель, представленная среди коронных ценностей Ирана. Но в отличие от нее шпинель Алмазного фонда обладает долгой документально подтвержденной историей.

Согласно документам об отношениях России с Китаем, хранящимся в Государственном архиве древних актов, этот камень, добытый в горах Бадахшана, в 1676 г. купил посол России в Китае Николай Спафарий у одного из вельмож, богдыхана Канси. Присутство-

В. А. Боровиковский. Портрет императора Павла I. Фрагмент. Начало XIX в.

Шпинель, венчающая большую императорскую корону.

Камень, отличающийся очень высокими показателями цвета и качества, огранен изумрудной огранкой в XVII—XVIII вв. По мнению академика А. Е. Ферсмана, он был найден еще в Средние века и хранился в одном из капищ Колумбии. Оправа камня, выполненная во второй четверти XIX в., напоминает стилизованную гирлянду виноградных листьев, чередующихся с крупными круглыми бриллиантами. Увы, реальные сведения об истории его обнаружения и бытования отсутствуют[11].

Брошь с изумрудом. Россия. Вторая четверть XIX в.

вавшие при покупке знатоки утверждали, что лучшего камня в Китае не найти. Любопытно, что покупка драгоценных камней для царской казны вменялась в обязанность дипломатических миссий, ведь собственных камней в России тогда еще не добывали. Привезенный Спафарием драгоценный лал, как называли в России в древности шпинели, в 1762 г. украсил корону Екатерины II[12].

Среди ценностей Бриллиантовой комнаты с XIX в. числился и колумбийский изумруд массой 136 карат, вправленный в бриллиантовую брошь.

Еще один исторический камень Алмазного фонда — безупречный хризолит весом 192 карата. Крупные хризолиты в природе нередки. Однако из-за природной хрупкости очень сложно их извлечь из твердой породы и огранить, сохранив размеры. Огранка камня комбинированная. В настоящее время камень вставлен в оправу, выполненную мастерами Экспериментальной ювелирной лаборатории Государственного хранилища ценностей в 1984 г. из бриллиантов старинной огранки.

К числу камней-уникумов мирового значения, входивших в состав коронных ценностей, следует отнести еще несколько камней. Сапфир весом 200 каратов, помещенный в перекрестье бриллиантовых гирлянд императорской державы. Этот камень дополнил ее при императоре Павле I. Изумруд-инталья с чудесным резным профилем Екатерины II. Редчайшие цветные бриллианты — розовый и синий в булавках для галстука, нежно-розовый в диадеме-кокошнике XIX века. Нынешним символом Алмазного фонда является восьмиугольный в 25 каратов бриллиант красивой ступенчатой огранки. Он выделяется своей чистотой среди всех прекрасных камней, лежащих на бархате витрин.

К этой же группе редчайших камней Алмазного фонда относится и кристалл, вырезанный в виде небольшой грозди винограда. Этот камень

вестных мировых коллекций минералов не располагает подобным ювелирным турмалином. Этот кристалл в глубокой древности был обнаружен в Бирме, в те далекие времена его приняли за рубин. Так, под именем «Рубин Цезаря», он и значился в сокровищницах монархов Европы вплоть до 1748 г., когда наконец шведский профессор-минералог Аминофф заявил, что этот камень, судя по его удельному весу, не может быть рубином.

Сегодня по числу исторических камней, непревзойденных по качеству, размеру и цвету, мало коллекций мира могут сравниться с Алмазным фондом России.

Брошь с сапфиром. Россия. 1860-е гг.

Крупный овальной формы цейлонский сапфир весом 260 карат, украшающий массивную брошь, приобретен императором Александром II в дар супруге — императрице Марии Александровне. Покупка была сделана в 1862 г. при посещении Всемирной Лондонской выставки. Учитывая величину камня, глубину и красоту цвета, изящество огранки, этот сапфир можно отнести к числу крупнейших и прекраснейших в мире. Описывая камень, академик А. Е. Ферсман заметил: «С этим сапфиром несравним и знаменитый сапфир Парижского собрания, известный под именем Располи, и сапфир герцога Девонширского, весящий всего только 100 каратов».

сочного малиново-розового цвета минералоги называют рубеллитом — красивой по густоте тона разновидностью турмалина. Вес его составляет примерно 260 каратов. Ни одна из известных из-

Впервые «Рубин Цезаря» упоминается в XVI в. при описании сокровищницы короля Франции Карла IX. Вдова короля завещала редкостный камень своему брату, королю Богемии Рудольфу II. Именно тогда придворный ювелир и минералог богемского короля Ансельм Боэций де Боот подробно описал его, дав ему имя. Почти 40 лет спустя, потерпев поражение в Тридцатилетней войне, Богемия расстается с частью своих сокровищ, и камень, считавшийся тогда самым крупным в мире рубином, попал в Стокгольм. В 1777 г. по воле короля Швеции Густава III «Рубин Цезаря» был доставлен в Петербург в дар императрице Екатерине II[13]. Знаменитый камень хранится вправленным в подвеску золотой булавки с небольшим черенком, покрытым эмалью зеленого цвета.

Кулон с малиново-розовым турмалином «Рубин Цезаря».

Драгоценности дома Романовых

ВЕЛИКОКНЯЖЕСКИЕ И ЦАРСКИЕ ДРАГОЦЕННОСТИ XVII ВЕКА

Сокровища дворцов и теремов

Москва, ставшая на рубеже XV и XVI вв. столицей централизованного государства, удивляла современников мощными стенами нового Кремля, величественными соборами и великолепным убранством дворцов. Она не только сосредоточила в себе политическую власть, но и приобрела значение важнейшего центра культуры и искусства. Обслуживая пышный быт великокняжеского двора, в кремлевских мастерских трудились собранные со всех концов Руси лучшие изографы, оружейники, золотых и серебряных дел мастера. Творения их рук были призваны придавать особый блеск торжественным дворцовым

церемониям и церковным службам, подчеркивая величие, престиж и незыблемость престола. Свидетельством тому являются памятники русского искусства, представленные в музейных собраниях, и восторженные воспоминания иностранных дипломатов и богатых купцов, принятых при московском дворе.

Однако в период Смуты и польско-шведской интервенции (1598—1613гг.) процветание сменилось голодом и разорением. Пострадала и государственная сокровищница — ценности переплавлялись и шли на оплату войск наемников. По подсчетам Н. М. Карамзина, Лжедмитрий «месяца в три издержал более семи миллионов рублей». В грамоте Земского собора от 10 марта 1613 г., адресованной польскому королю Сигизмунду III, говорится: «А царскую казну и многое собранье... прежних государей наших, царские утвари, царские шапки и коруны, и всякое царское достояние, и чудотворные образы к вам отослаша, достальную царскую казну, пограбя, по себе разделили». Действительно, из девяти царских венцов кремлевской сокровищницы к моменту избрания на царство Михаила Романова сохранилось только два — древняя шапка Мономаха и шапка царства Казанского.

Придя к власти в 1613 г., Романовы принялись за восстановление Кремля и его утраченных богатств. Мать царя, инокиня Марфа, на собственные деньги выкупает ряд вещей XVI в., оказавшихся у частных лиц. Документы самых первых лет правления молодого царя свидетельствуют о возобновлении

Избрание на царство Михаила Федоровича Романова. Шпалера. Россия. 1828 г.

Въезд в Москву царя
Михаила Федоровича
в день венчания на
царство. Миниатюра.
XVII в.

Этот каменный дворец в стиле русского узорочья отличают богатство росписи, многоцветье изразцовой кладки и изящество белокаменного резного декора. Поставцы и горки палат заполняла золотая и серебряная посуда, фигурки диковинных зверей и птиц, выполненные русскими и заморскими златокузнецами, богато украшенные часы и шахматы. Яркие восточные ковры, шелковые скатерти и расшитые золотом покрывала довершали убранство покоев первых Романовых.

К. Рабус. Терем царя Алексея Михайловича. XIX в.

деятельности Серебряной палаты и последующем выделении из ее состава палаты Золотой. В 1613—1616 гг. созданы три золотых ковша, украшенные крупными самоцветами в массивных гнездах и жемчужной обнизью. По борту ковшей чернью наведен величальный титул молодого государя.

В 1627—1628 гг. приобретаются и работы иностранных мастеров, в частности из сокровищницы датского короля Христиана IV, продававшего ценности, чтобы раздобыть денег на ведение Тридцатилетней войны. В их числе были и изумительные произведения гамбургского мастера Якоба Мореса Старшего (1579—1603).

В 1635—1637 гг. в Кремле возводят новую царскую резиденцию — Теремной дворец, где на протяжении XVII в. жили все государи начиная от Михаила Федоровича. Последним его обитателем был сын Петра I царевич Алексей Петрович.

Вещи, предназначенные для царской семьи, изготавливали и хранили в Мастерской палате, несколько позже разделившейся на цареву и царицыну. Там шили одежду — каждодневную и для парадных выходов, делали украшения, посуду. Для царицы и царевен изготавливали многочисленные туалетные принадлежности: коробочки для румян и белил, ароматники.

Золотое и серебряное дело в Москве XVII в. развивалось, усваивая и перерабатывая достижения всей предшествующей национальной культуры. Оно впитывало то яркое и оригинальное, что рождалось в других уголках

Г. Седов. Выбор невесты царем Алексеем Михайловичем. Фрагмент. 1882 г.

страны, и, в свою очередь, влияло на искусство. В знаменитые царские мастерские, ставшие в XVII в. своеобразной академией искусства и художественного ремесла, съезжались лучшие строители, живописцы, оружейники, бронники, чеканщики и эмальеры со всех концов Руси.

Число царевых мастеров росло. Когда случалась надобность, по городам, вотчинам и монастырям рассылались грамоты с приказом без промедления прислать в Москву достойных умельцев, которые «горазды серебром образы окладывать, жемчугом садить и суды [сосуды] выковывать». Их творения, украшавшие парадные палаты, терема и соборы, служили достойным оформлением придворных церемоний и домашнего быта царя и его ближайшего окружения.

Роскошь и великолепие этих сокровищ поражали воображение иностранных послов, допущенных ко двору. Мерцание золота и жемчуга, многоцветье драгоценных камней и эмалей создавало торжественный и радостный настрой, «приводило ум в изумление», как отмечал Павел Алеппский, прибывший в Россию в 1655 г. в составе миссии антиохийского патриарха Макария.

В середине XVII в. была организована и специализированная Алмазная мастерская, где шлифовали и сверлили цветные камни, необходимые для работы ювелиров.

Шествие в Успенский собор в день венчания на царство царя Михаила Федоровича. XVII в.

Видимо, среди любимых мелочей в тереме царя Алексея Михайловича хранилась нарядная золотая чаша, подаренная ему в 1653 г. патриархом Никоном. Небольшая, высотой всего 8,5 см, она напоминает полураспустившийся цветок; ее поверхность расчеканена выпуклыми ложками-долами и расписана яркими эмалями. Убранство чаши дополнено крупными рубинами, изумрудами и сапфирами. Этот шедевр работы кремлевских мастеров в 1686 г. по настоянию царевны Софьи цари Петр и Иван Алексеевичи подарили князю В. В. Голицыну. После опалы последнего и ссылки в Архангельский край чаша возвратилась в царскую казну.

Золотая чаша, подаренная Алексею Михайловичу патриархом Никоном. 1653 г.

Ферязь (верхняя узкая распашная одежда). XVI в.

Создавая роскошные изделия из благородных металлов, русские мастера зачастую обращались к тем формам посуды и украшений, которые издревле бытовали на Руси. Нарядные поставцы во дворцах и теремах царя и царицы заполняли золотые и серебряные ковши, братины и чарочки, по форме восходящие к традиционной деревянной или глиняной крестьянской посуде.

XVII век в истории Русского государства — время сложное, полное противоречий. Это период заметного переустройства страны, формирования общерусской государственности и национальной культуры, развитие которых было нарушено в начале столетия иностранной интервенцией. Идея утверждения общероссийской государственности находит выражение и в окончательном оформлении государственного герба. Герб был разработан в начале 1670-х гг. специально приглашенными герольдмейстерами.

То спокойное, то «бунташное» XVII столетие вносит много нового в развитие русского искусства, в том числе золотого и серебряного дела. Радостный, мажорный характер и вместе с тем нарочитая пышность изделий этого времени в значительной мере обусловлены приверженностью к сложным, технически виртуозным чеканным, резным и черневым (черненым) композициям. Особенно разнообразными становятся яркие многоцветные эмали. Златокузнецы, обслуживавшие двор московских государей и патриархов, обильно дополняли убранство вещей драгоценными камнями и жемчугом.

К середине XVII в. орнаментальные украшения на изделиях из золота и серебра все больше подчиняются принципу декоративного заполнения про-

В мастерской палате в 1670-х гг. изготовили золотую царскую тарель с гербом России — двуглавым орлом, наведенным зеленой эмалью. На груди орла помещен белый щит с изображением Св. Георгия Победоносца. По борту тарелки среди перевитых лентой связок плодов вырезаны гербы княжеств и земель, титулы которых присоединил к своему полному титулу московский государь.

Тарель Алексея Мийхаловича. Мастер Ю. Фробос. 1657 г.

Мотивы узоров, характерных для драгоценных восточных тканей, повторяются в украшении небольшого, 12 см высотой, серебряного с чернением ставца — круглой коробочки с крышкой, предназначенной для хранения сладостей и разной мелочи, — выполненного в 1685 г. в кремлевских мастерских Михаилом Михайловым и Андреем Павловым для царевны Софьи Алексеевны. Ставец всегда был под рукой царевны. По венцу его в золоченых свитках красивой вязью выгравирован титул Софьи.

Ставец царевны Софьи Алексеевны. 1685 г.

Роспись потолка Грановитой палаты Московского Кремля.

Пир в Грановитой палате по случаю венчания на царство Михаила Фёдоровича. Миниатюра. XVII в.

На царских пирах в Грановитой палате Кремля удивленные иностранцы насчитывали до тысячи золотых блюд, на которых подавали кушанья. Русский пир традиционно открывали пущенные по кругу братины чеканного серебра. Меды белые, настоянные на патоке, подавали в серебряных ковшах с искусной величальной надписью по борту. А ягодные меды пили из золоченых ковшей. Английский посол Чарлз Карлейль, побывавший на приеме в Кремле в 1664 г., записал: «Мы были поражены при виде такого блеска и великолепия. Действительно, это преисполнило нас восхищением… и блеск драгоценностей… нас ослепил так сильно, что мы почти потерялись среди бесподобного сияния света и славы».

странства. Они сплетаются в сложных узорах стилизованных стеблей трав с распустившимися на них цветами. Рельеф чеканки становится более высоким. В эти резные и черневые узоры порой вплетают фигурки львов, птиц и диковинных единорогов. Густой бархатистый фон обычно богато проработан: его образуют завитки мельчайших черненых травинок.

Наиболее распространенным элементом декора русского художественного серебра в XII—XVII вв. выступа-

Император Николай II в русском костюме XVII в. с посохом Алексея Михайловича. 1903 г.

Царское облачение с бармами царя Петра Алексеевича. 1691 г.

ли надписи, выполненные в технике резьбы, оброна, чеканки, чернения. Зачастую они содержали не только имя владельца или дарственную запись, но также пожелание здоровья либо лукавые нравоучения: «Истинная любовь уподобится сосуду злату, аще мало погнется, то по разуму скоро исправится»; «Умный человек подобен есть злату сосуду». На венце старинной чарки можно прочесть и такие слова: «Невинно вино, но проклято пьянство».

Во второй половине XVII в. декоративное убранство становится особенно пышным. Большую роль в украшении играет эмаль. На парадном оружии, конской упряжи и даже церковной утвари ее сочные краски соперничают по яркости с драгоценными камнями.

Это период обмирщения искусства: художники словно бы наконец заметили, какой красотой наполнен земной мир, и простодушно отдались радости бытия. Мастера-ювелиры не исключение. Это видно даже в украшении литургических сосудов и утвари, окладов икон и Евангелий, которые первые Романовы заказывали для богатых вкладов в церкви и монастыри. Будто все краски летнего луга, еще не опаленного знойным июльским солнцем, выплеснуты на массивный оклад Еванге-

Пуговица. Западная Европа. XVII в.

И разумеется, русские ювелиры не обошли вниманием традиционный костюм, точнее, дополнения к нему. Разнообразные пуговицы, пряжки, нашивные запоны, цепи — все это покрывалось богатым узорочьем рельефной чеканки, ажурной скани, многоцветных эмалей в сочетании с речным и морским жемчугом и цветными камнями. Среди прочих сохранились роскошная золотая с рубинами и изумрудами фигурная пряжка для пояса, украшавшего кафтан царя Алексея Михайловича, и запона для его шапки. Много лет спустя, в 1903 г., они красовались на костюме императора Николая II, в котором он появился на дворцовом святочном маскараде.

Пуговицы с царских становых кафтанов. XVII в.

лия, выполненный в 1678 г. мастерами кремлевской Золотой палаты во главе с алмазных дел мастером Дмитрием Терентьевым и эмальером Юрием Фробосом. Текст и 1200 роскошных миниатюр Евангелия «восемь месяцев денно и нощно» писали каллиграфы и художники под руководством выдающегося живописца Ф. Е. Зубова. В украшении золотого оклада использованы разнообразные техники декора — резьба, гравировка, прозрачные эмали, наложенные на высокий чеканный рельеф. Яркие рубины и изумруды в изобилии размещены в орнаментальных полосах, обнизи крышки оклада и фигурных резных запонах.

На протяжении нескольких столетий едва ли не главным украшением русского костюма были металлические пуговицы. Затейливые названия

Вот как оценены в былине о Соловье Будимировиче пуговицы на шубе привередливой модницы Забавы Путятичны:

Долго Забава снаряжалася —
Надевала шубку соболью
В три тысячи,
А на ней пуговки — в сорок тысячей.

Петлицы, пуговицы и иные украшения царских одежд. Художник Ф. Г. Солнцев. XIX в.

Пуговицы и шитье с царских становых кафтанов. Художник Ф. Г. Солнцев. XIX в.

Особенно богатыми были пуговицы на одежде для церемониальных и парадных выходов царя, патриарха, высшего духовенства и бояр. Сохранились и сведения о том, что искусство приехавших к русскому двору иноземных ювелиров испытывали на изготовлении пуговиц. Мастеру, не прошедшему испытание, выдавали деньги и документы для беспрепятственного возвращения на родину.

говорят об особенностях их форм: известны пуговицы «шишки», «шарики», «груши», «рожки», «репейки», «тыковки», «львовы головы». Одни были величиной с куриное яйцо и предназначались для широких и тяжелых шуб, другие — совсем маленькие, не больше горошины — пришивали к тонким сорочицам. Мастера изготавливали их из золота, серебра, кости, перламутра и богато декорировали чеканкой, эмалью, филигранью. Пуговицы бережно хранили, перешивая с обветшавшей одежды на новую, передавали по наследству. Стоили пуговицы дорого.

На Руси издревле были любимы ожерелья, особенно жемчужные. Их узор порой был чрезвычайно сложен. Знаток русской древности И. Е. Забелин описывал ожерелья с многочисленными подвесками, а также характерные для XVI—XVII вв. украшения в виде шейного атласного воротника, богато расшитого жемчугом. Такое ожерелье надевали к парадной одежде как мужчины, так и женщины. Любили в прежние времена коралловые пуговицы и бусы. Согласно легенде, мать Петра I, царица Наталья Кирилловна, носила ожерелье, собранное из коралловых веточек. Бытовало поверье, будто бы «от них нечистый бегает, бо кралёк этот растет крестообразно».

Благовещенский собор Московского Кремля.

Посольские дары

Во второй половине XVI—XVII в. сформировались правила русского дипломатического этикета. Прием посланникам оказывали в строгой зависимости от важности их миссии. Все действо бывало тщательно продумано и разработано в мельчайших деталях: от момента встречи посольства на границе до собственно приема у царя, за которым следовал пышный пир. День царской аудиенции начинался торжественным шествием посольства в сопровождении стрельцов. Церемония приема послов в Гра-

КРЕМЛЕВСКИЕ МАСТЕРОВЫЕ

Документы древних государевых мастерских сохранили некоторые сведения об условиях работы кремлевских мастеров. При царе Михаиле Федоровиче, в первой трети XVII в., в них трудились сотни ювелиров различных специальностей. Только за Оружейной палатой значилось более 200 человек; лучшие из них именовались жалованными мастерами.

От искусства и опыта мастера зависел его заработок, который складывался из денежного вознаграждения и продуктов — ржи и овса. Денег платили от 8 до 40 рублей в год. Много это или мало? Сравните: за шесть крупных медальонов для царевых барм, включая, конечно, стоимость драгоценного металла, было заплачено 18 325 рублей золотом, а за 3—4 рубля можно было купить лошадь.

Блюдо царя Михаила Федоровича. Художник Ф. Г. Солнцев. XIX в.

Портрет барона Герберштейна, посла императора Максимилиана I, в шубе, подаренной князем Московским. 1559 г.

новитой палате — тронном зале Кремля начиналась с обмена приветствиями, вручения верительных грамот и краткого изложения послом цели визита.

Одним из непременных моментов церемонии было поднесение царю доставленных для него даров. Это могли быть парадное оружие и доспехи, драгоценные

Украшением собрания английского художественного серебра в Оружейной палате является пара серебряных фигур барсов. Казна приобрела их в 1627—1628 гг. у английского купца Фабиана. Огромные, весом почти 30 кг каждый и высотой 98 см, барсы стоят на задних лапах, поджав хвосты. Грозно поблескивают острые клыки. В Москве барсы украшали приемные палаты, хотя на самом деле они представляют собой не что иное, как сосуды для хранения вина: внутри барсы полые, а их головы — съемные.

Барс. Серебро. Англия. 1600—1601 гг.

гий учет и оценку каждой вещи. Позже царь, осмотрев дары, определял, где их разместить: в его личном тереме либо в хранилище какого-либо приказа — Казенного, Конюшенного и др. Как отмечали многие послы, царь никогда не принимал подношений, не сделав ответного подарка, равного, а чаще значительно превосходившего по стоимости

ткани и редкостная утварь, а также драгоценные украшения. Случались и диковинные подношения. Так, одно из персидских посольств доставило в Москву живых хищников — льва и львицу, которых в день приема привели прямо к Красному крыльцу Грановитой палаты.

По традиции полученные подарки направлялись в Посольский приказ, дьяки которого вели строгий

полученный. Часто такими подарками служили меха — куница, лиса, соболь.

Состав посольских даров, полученных от королей Англии, наглядно иллюстрирует развитие дипломатических отношений между двумя странами. После недолгого перерыва в середине XVII в., вызванного английской революцией и гражданской войной, связи были восстановлены. Вступивший в 1660 г. на престол Карл II Стюарт уже в 1664 г. направил в Москву посольство, возложив на него ответственную задачу возобновления выгодной для Англии торговли. Посольство

Барон Герберштейн в русской шубе и шапке. 1526 г.

Поднесение даров русским посольством 1576 г. Иллюстрация из книги «Достоверные портреты московских государей». 1882 г.

было представительным: почти сто человек прибыли в Архангельск на двух кораблях. Среди даров выделялось парадное оружие, в том числе с монограммой казненного короля Карла I, часы и дорогая серебряная столовая утварь — крупные фляги, стопы и подсвечники, украшенные чеканкой, а также огромные (40 см высотой) солонки. По европейским обычаям крупная декоративная солонка была важным элементом пиршественного стола, ведь она отмечала статус гостей, приглашенных на трапезу: сидят они выше или ниже соли, т. е. ближе к хозяину либо дальше от него.

Непременным украшением помещений дворца были серебряные горы-

курильницы для благовоний, фигурные рукомои и разнообразные кубки, туловом которых служили пластины янтаря, крупные перламутровые раковины-наутилусы, скорлупа кокосовых орехов или страусиных яиц. На открытых горках в Грановитой палате можно было увидеть и серебряные модели парусников с полной оснасткой, и «конфетные деревья» с многочисленными тарелками для десерта. Одно из таких деревьев, выполненное мастером Дитрихом тер Мойе, в числе даров царю Михаилу Федоровичу от датского короля Христиана IV прибыло с посольством его сына королевича Вольдемара в 1644 г. Дары оказались особенно

Гора-курильница. Германия.
1599—1628 гг.

Среди великолепной коллекции серебра немецкой работы выделяются произведения, выполненные в ведущих ремесленных центрах Германии — Гамбурге, Нюрнберге и Аугсбурге. Они особенно высоко ценились в Европе, поэтому европейские монархи, в том числе короли Швеции — соседки России по Балтике, охотно заказывали их для официальных подарков. В числе таких подношений царю Алексею Михайловичу оказался «водяной взвод» — настольный фонтан работы гамбургского мастера Петера Ора. Основанием фонтана служит большой вызолоченный шар на четырех ножках, который заполняли водой либо вином. Фигурки дельфинов поддерживают над шаром ряды тарелей в виде морских раковин. Венчает сооружение фигура громовержца Зевса с пучком стрел в руках. Вода или вино из шара под напором подавались вверх, стекая по тарелям с фруктами.

Настольное украшение «Конфектное дерево». Мастер Д. Т. Мойе.
Германия. 1633—1644 гг.

Кубок, подаренный Алексею Михайловичу датской королевой Кристиной в 1648 г. Художник Ф. Г. Солнцев. XIX в.

до, на дне которого вычеканена мифологическая сцена освобождения Андромеды Персеем. Такими декоративными блюдами обычно украшали стены дворцов и теремов.

Во второй половине XVII в. правители стран Восточной и Центральной Европы ищут в русском государе со-

Среди даров, доставленных царю Алексею Михайловичу и наследнику царевичу Федору Алексеевичу из Вены, был рукомойный гарнитур работы аугсбургского ювелира И. Г. Манлиха Старшего. Кувшин и блюдо гарнитура выложены крупными пластинами горного хрусталя в легкой золоченой оправе с эмалью и множеством тонко подобранных по цвету топазов, гранатов, аметистов, хризолитов и бирюзы. Изящество формы и изысканная отделка гарнитура неизменно вызывают восхищение ценителей искусства.

Рукомойный прибор, подаренный царю Алексею Михайловичу. Германия. 1670—1675 гг.

богатыми, так как визит был чрезвычайно важен для Дании, долгие годы соперничавшей со Швецией за господство на Балтике. Король Христиан надеялся заручиться поддержкой России, предлагая заключить династический брак принца Вольдемара с царевной Ириной, дочерью русского царя.

Работы мастеров серебряного дела города Гданьска — свидетельство политических связей между Россией и Польшей в сложный и противоречивый период их отношений. В середине и второй половине XVII в. Россию посетило несколько польских посольств. Очередное, в 1668 г., прибыло с предложением царю Алексею Михайловичу либо его сыну царевичу Алексею занять польский трон. Среди даров этого посольства — огромные богато декорированные серебряные с позолотой кувшины и овальное блю-

юзника в борьбе с мощной Османской империей. Сменяя друг друга, в Москву направляются посольства германского императора Леопольда I. Посольство 1675 г. царь Алексей Михайлович принял в новом дворце в подмосковном селе Коломенском. Нарядный и причудливый дворец современники окрестили восьмым чудом света.

Обилие и ценность даров, поступавших в казну московских государей из Турции и Ирана, ярко свидетельствуют о заинтересованности этих государств в устойчивом политическим и торговом партнерстве с Россией. Из Ирана в Москву доставляли ковры, шелка, парадное оружие, породистых лошадей — аргамаков и великолепную сбрую к ним. Персидские мастера украшали конскую упряжь, седла и оружие, предназначенные в дар русским царям, золотыми пластинами, инкрустированными крупными турмалинами и знаменитой бирюзой из Нишапура. По свидетельству английского посла Чарлза Карлейля, «великолепие и блеск конско-

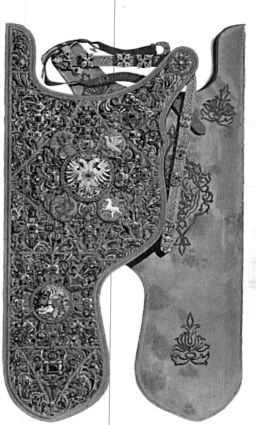

Деревянный дворец Алексея
Михайловича в Коломенском.

Саадак царя
Алексея
Михайловича.
Художник
Ф. Г. Солнцев.
XIX в.

го убранства, казалось, добавляло света к свету дня», а польский посланник Павел Свидерский, посетивший Москву в 1675 г., восхищался: «Такого удивительного конского наряда, как у русского царя, ни у каких окрестных государей не найдется».

Не менее ценными были и русские дары: из России в Персию и Турцию везли меха соболей и лисиц, огнестрельное оружие и ловчих птиц, которые очень ценились на охоте.

Серьезным торговым партнером России выступала османская Турция, хотя политические взаимоотношения с ней часто прерывались военным противостоянием. Однако на рынках Турции и

зависимого от нее Крымского ханства в ходу были традиционные русские товары — меха, моржовая кость, воск, пенька. Турецкие купцы везли на Русь ткани, булатное (стальное) оружие, драгоценные камни и жемчуг, произведения прикладного искусства, выполненные балканскими умельцами в древних художественных традициях. В 1656 г. в дар царю Алексею Михайловичу были доставлены сабля и саадак (колчан для стрел и налуч). Золотые ножны и рукояти сабли и саадака украшены зеленой эмалью и крупными рубинами и сапфирами. На клинке сабли — арабская вязь с напутствием: «Проводи время во блаженстве», а на стенках саадака размещены двуглавый орел и надпись, славящая русского царя.

Кубок-наутилус.
Англия. XVII в.

Богатством и фантазией отличаются вещи из посольского дара султана Мурада IV: золотые часы с двумя циферблатами, крупные хрустальные ароматники в золотой с драгоценными камнями оправе и ручное зеркальце, видимо, оказавшееся затем среди личных вещей первой жены Петра I Евдокии Лопухиной. Ручка и оправа зеркала выточены из нефрита, инкрустированного травным узором, выложенным из золота и драгоценных камней.

Зеркало царицы Евдокии Лукьяновны
Лопухиной. Начало XVIII в.

БРИЛЛИАНТОВЫЙ ВЕК

Петровские реформы

Герб Российской империи. XVIII в.

Я. Амигони. Петр I с богиней мудрости Минервой. XVIII в.

Реформы Петра кардинально изменили едва ли не все стороны жизни страны, затронув быт людей, их внешний облик, вкусы. В 1700 г. в России был введен городской костюм, аналогичный западноевропейскому. Он довольно быстро вошел в обиход русского дворянства и служивых людей, а ближайшее окружение царя избрало для себя едва ли не самый роскошный его вариант. Сам государь, получивший после победы в Северной войне титул императора и отца отечества, жил по-спартански. Тем не менее он прекрасно понимал политическую значимость того, как выглядит двор, насколько пышны его церемонии и туалеты знати, от которой требовалось быть разодетой по последней европейской моде. Не случайно в новую столицу — Петербург он переводит мастеров Оружейной палаты, приглашает иностранцев, владеющих «ремеслами роскоши и галантности», ювелиров, портных, куаферов (парикмахеров).

Петровские реформы на долгие годы определили основополагающие элементы развития ювелирного производства и рынка, обеспечив сырьевую оснащенность, систему государственного пробирного надзора и организацию профессиональных цеховых объединений. Царский указ 1700 г. об обязательном клеймении золотых и серебряных изделий государственными клеймами способствовал искоренению

Г. Мусикийский. Портрет Екатерины I на фоне Екатерингофского дворца в Петербурге. Эмаль. 1720-е гг.

Г. Мусикийский. Портрет Петра I на фоне Петропавловской крепости и Троицкой площади в Петербурге. Эмаль. 1720-е гг.

Фрагмент
лестничного
зала Иорданской
лестницы Зимнего
дворца.

злоупотреблений при работе с драгоценными металлами и пополнению государственной казны. А вслед за указом о создании Приказа горных дел в 1719 г. издается указ, объявлявший так называемую горную свободу. Это означало, что люди всех сословий получали право на разведку металлов и драгоценных камней на всей территории России.

Петр I задумал основать в Петергофе первую шлифовальную мельницу для обработки камня и самоцветов. Ее

Напольные часы. XVIII в. Эрмитаж.

И. Г. Таннауэр. Портрет А. А. Меншиковой. 1772–1723 гг.

продукцией планировалось облицовывать набережные и фасады домов Северной Пальмиры. Правда, построили мельницу уже после смерти царя, в 1737 г. С середины XVIII в. заработала Екатеринбургская камнерезная фабрика, а в 1787 г. — Колыванская фабрика на Алтае. К этому времени русские землепроходцы уже открыли самоцветы Мурзинки, мраморы Карелии, яшмы, агаты, сердолики и горный хрусталь Сибири.

Еще во время своей первой поездки в Европу Петр I увидел образцы портретной миниатюры, выполненной эмалью. В Лондоне он познакомился с превосходным миниатюристом Шарлем Буатом. Его работы, написанные яркими, сверкающими эмалями, привели царя в восторг. Он заказал эмальеру несколько своих портретов, которые тот изготовил с живописных оригиналов Г. Кнеллера. «Портреты по финифту», как называли тогда эмали, полюбились царю; он еще не раз заказывал их у европейских ювелиров и, возвратившись в Россию, распорядился обучить русских мастеров работать в

ПОДАРОК СВОИМИ РУКАМИ

Петр I «на троне первый был работник» и, как известно, освоил почти полтора десятка профессий. Интересовала его и техника изготовления изделий из драгоценных металлов. Однажды он попробовал заняться златокузнечеством. В Государственном историческом музее в Москве хранится небольшая серебряная чарочка, выкованная Петром I в 1712 г. под руководством Иоганна Мельхиора Динглингера — придворного ювелира саксонского курфюрста Августа Сильного. Во время недельного пребывания в Дрездене восхищенный работами выдающегося мастера царь провел в его доме целых три дня. Он с интересом рассматривал инструменты ювелира, великолепно оборудованную домашнюю обсерваторию и противопожарную установку. Ну а собственноручно сделанную чарочку Петр по возвращении в Россию подарил сыну — царевичу Алексею.

Нагрудный знак с портретом Петра I. Начало XVIII в.

новой для них области искусства. Первым отечественным миниатюристом стал эмальер Оружейной палаты Григорий Семенович Мусикийский. По заказам Петра I и А. Д. Меншикова он сделал множество портретов, в том числе и членов их семей. Правда, еще не владевшие должной живописной техникой первые русские миниатюристы вынуждены были копировать работы европейских художников. Ко второй половине XVIII в. искусство эмалевой миниатюры в России становится самостоятельным видом художественного творчества. При Екатерине II в Российской академии художеств функционировал класс эмальерной живописи.

Медальон с портретом Петра I. Художник А. Овсов. Золото, эмаль.

С петровского времени эмалевые миниатюры царствующих персон помещали в нагрудные знаки, и они становились почетной наградой, получаемой непосредственно из рук императора. Часто такие награды ценили больше, чем ордена, ибо они являлись знаком особого благоволения царствующей особы. Этими наградами отмечали политических деятелей, иерархов Церкви, иностранных дипломатов.

Мозаичный портрет Елизаветы Петровны. Художник А. Кокки. 1750 г.

К сожалению, изделий ювелиров, выполненных в эпоху правления Петра I, сохранилось крайне мало. Судить о них мы можем преимущественно по многочисленным документальным свидетельствам, повествующим о роскоши российского двора. Например, голландцы сообщают, что в 1717 г. при посещении царской четой Заандама, где

Табакерка, принадлежавшая Петру I. Конец XVII в.

русского царя знали по его прежним поездкам, Петр Алексеевич по обыкновению был одет в простой костюм, но туалет Екатерины изобиловал жемчугами и бриллиантами, которые, по утверждению очевидцев, стоили «три бочки золота, или 300 тысяч флоринов».

В счетах дворцового ведомства фигурируют немалые суммы, выплаченные за алмазные ожерелья, пряжки

Ж. М. Натье. Портрет
Екатерины I. 1717 г.

Г. Кнеллер.
Портрет Петра I.
1698 г.

для башмачков и подвязок, алмазные булавки-трясульки для государыни императрицы. Представление о том, какие украшения были в моде, можно составить, рассматривая портреты Екатерины I, племянниц Петра Екатерины и Прасковьи и его любимой сестры царевны Натальи Алексеевны. Это многочисленные заколки на рукава, броши, пришитые к вырезу платья, комплекты шпилек с обилием камней. На портрете Екатерины I, написанном Ж. М. Натье в 1717 г., прическу царицы украшает золотая диадема в виде обруча с рубином и крупными жемчужинами в центре.

До нас дошли редкие образцы произведений ювелирного искусства, принадлежавшие лично Петру I. Это, например, хранящиеся в Эрмитаже табакерки. Среди них выделяется овальная серебряная работы петербургского мастера Матиаса Бока. В крышку табакерки вмонтирована чугунная вставка с изображением Полтавской баталии.

ТАБАКЕРКА ПЕТРА I

Тема гордости за растущую мощь России и ее победу над грозным противником отражена и в оформлении золотой табакерки с пластиной из черепахового панциря, выполненной в 1719 г. И. Г. Таннауэром. На наружной стороне крышки в сложнейшей технике инкрустации золотыми нитями изображен русский флот на фоне Петропавловской крепости. С внутренней стороны в крышку вмонтирована эмалевая миниатюра с изображением младшего сына Петра I — цесаревича Петра Петровича (1715–1719). Фигурка младенца помещена в центре на фоне Невской перспективы, а слева в глубине – погрудный портрет императора. Характер композиции был задан самим августейшим заказчиком: она отражает задуманное императором отстранение от престола царевича Алексея и провозглашение наследником младшего, трехлетнего сына. Манифест об этом Петр I подписал в 1718 г.

Табакерка с портретом Петра Петровича.
Художник И. Г. Таннауэр. 1719–1725 гг.

Роскошь рококо

Преемники Петра, заботясь о представительности двора, тратили на приобретение предметов роскоши огромные средства. Приверженная почти восточной пышности аристократия, особенно столичная, стремилась во всем подражать французскому двору с его великолепием церемоний, празднеств и развлечений. И на первый план вышли те виды прикладного искусства, которые обслуживали парадную сторону быта дворянства. Ювелирное дело становится одним из ведущих его направлений.

Роскошь украшений придворной знати не переставала удивлять даже знаменитого придворного ювелира Иеремию Позье. В своих «Записках придворного бриллиантщика» он отмечал: «Наряды придворных дам богаты, равно как и золотые вещи их; бриллиантов надевают великое множество… Они даже в частной жизни никогда не выезжают, не увешанные драгоценными уборами. Не думаю, что из всех европейских государынь была бы хоть одна, имевшая более драгоценных уборов, чем русская царица».

Неизвестный художник. Портрет А. П. Шереметьевой в маскарадном костюме. Около 1766 г.

Изделия 1750–1760-х гг. свидетельствуют об огромном мастерстве ювелиров, работавших в России. Изысканный вкус и совершенное владение техникой раскрываются в созданных ими разнообразных украшениях — от пуговиц и пряжек до многосложных эгретов, склаважей, табакерок, орденских звезд, набалдашников для тростей и флаконов для духов, мушечниц и диковинных коробочек для косметики. Нередко драгоценные украшения изготавливают целыми гарнитурами, которые на французский манер называют парюрами.

XVIII век — время восторженного увлечения камнем, тонкого понимания его красоты. Драгоценные камни становятся главным элементом декора ювелирных изделий. Золоту в украшениях и аксессуарах с этого момента отведена лишь роль оправы. Показательны три цветочных букета, выполненные знаменитым петербургским ювелиром Л. Д. Дювалем. Они представляют собой целую минералогическую коллекцию: каждый цветок — необработанный кристалл, редкий по качеству и цвету. Достоинства камней мастер подчеркнул мельчайшими бриллиантами. Особое внимание уделялось огранке, дававшей камню новую жизнь, усиливавшей его игру и яркость цвета. Первое место среди сверкающих драгоценностей по праву занял бриллиант.

Часы на шатлене. Мастер Ж. Фази. Россия. Конец 1770-х — начало 1780-х гг.

Свобода и легкость композиционного построения, характерные для украшений эпохи рококо, нашли совершенное воплощение в бриллиантовой с сапфирами парюре — комплекте украшений из эгрета и серег, выполненном около 1760 г.

Композиция ювелирных украшений эпохи рококо часто навеяна мотивами природы. Бу-

Знаком безудержной фантазии ювелира может служить гарнитур украшений, хранящийся в Алмазном фонде России. В него входят изящная брошь в виде пышного букета цветов, диадема-бандо, представляющая собой гирлянду подвижно скрепленных звеньев, и крупные серьги. Над сердцевинами роз и тюльпанов парюры будто парят бриллиантовые пчелки.

Серьги-каскады. 1750-е гг.

Фейерверк по случаю коронации Анны Иоанновны. 1730 г.

Эгрет-фонтан. 1750-е гг.

Прихотливой формы эгреты (от *фр.* aigrette — «хохолок») — украшения для прически и шляпы — были любимыми дополнениями парадных туалетов на протяжении всего XVIII в. Эгрет императрицы выполнен в виде сверкающих струй фонтана. Они упруго взметнулись в мириадах искр, завершаясь чуть покачивающимися ярко-синими цейлонскими сапфирами. Совершенна пластика эгрета. В ней воплотилось настроение праздников в дворцовых парках Петергофа и Царского Села со столь любимыми в ту пору «водными утехами» — фонтанами, катальными горками и прудами. Очевидно, эгрет, как и другие украшения XVIII в., использовался и в более позднее время. По крайней мере, согласно описи драгоценностей Зимнего дворца, в 1898 г. он хранился среди вещей императрицы Марии Федоровны.

кет бриллиантовых цветов к корсажу, диадема в виде цветочной гирлянды, маленькая веточка на перстне — подобные темы постоянно встречаются в работах мастеров 1730–1760-х гг.

Они чуть касаются цветов, переливающихся нежными оттенками розового, палевого, желтого. Мастер искусно подтонировал камни, подложив под них цветную фольгу.

Драгоценности императриц

На протяжении XVIII в., который часто называют бриллиантовым веком ювелиров, роскошь двора была возведена на уровень государственной идеологии, которую царствующий дом поддерживал с завидным усердием. Эта тенденция становится особенно очевидной с момента вступления на престол императрицы Анны Иоанновны. Содержание ее двора обходилось государству в пять-шесть раз дороже, чем при Петре I. Иностранные дипломаты отмечали, что денег в казне не осталось ни гроша, а средства тратятся огромные. Их буквально выколачивали из народа, собирая недоимки.

И. Ведекинд. Портрет императрицы Анны Иоанновны. XVIII в.

В 1735 г. по заказу императрицы Анны Иоанновны мастер Николай Дон изготавливает сервиз, на который пошло около 90 кг золота. В 1740 г. из Аугсбурга был доставлен чеканный золотой туалетный прибор, исполненный Иоганном Людвигом Биллером. Он состоит из 46 предметов — рукомойного прибора, подсвечников, различных лотков, туалетных флаконов, коробок. Центральным элементом гарнитура является огромное зеркало в золотой оправе. А поскольку утренний туалет императрицы занимал не один час (в это время Анна Иоанновна заслушивала информацию о событиях отечественных и зарубежных) и ей требовалось подкрепиться, прибор включает также сервировочную посуду — чайники, кофейники, сахарницу и жаровню. Биллер выполнил все эти предметы в стиле Людовика XIV, пышно декорировав их изображениями пейзажей, сцен охоты и охотничьих трофеев; все это, несомненно, должно было понравиться императрице, ведь она страстно любила охоту.

Кувшин, поднос и шкатулка из туалетного прибора Анны Иоанновны. Мастер И. Л. Биллер. 1736–1740 гг.

Став владычицей огромной империи, курляндская герцогиня принялась приобретать исключительные по ценности символы государственной власти, украшения и предметы дворцового обихода, заказывая их в России и за границей. При ней во дворце появляются монументальный серебряный трон и огромные холодильники-лохани, отлитые из колыванского серебра. Колоссальные деньги тратились и на богатые подарки

Табакерка с портретом императрицы Елизаветы Петровны. Россия. Конец 1750-х гг.

ВО СЛАВУ ВЕЛИКИХ ДЕЯНИЙ ПРЕДКОВ

В мире известно немало серебряных гробниц, однако рака святого князя Александра Невского — явление исключительное. И не только в силу ее величины и художественной ценности, но и в идеологическом отношении. Главную цель ее создатели и заказчица — императрица Елизавета Петровна — видели в прославлении героического прошлого России. Рака воплощает памятник, символизирующий идею преемственности славных деяний от предков к потомкам.

Великий князь Александр Ярославич, победитель ливонских рыцарей в битве на Чудском озере и сражении на Неве близ устья Ижоры, был канонизирован как общерусский святой в 1549 г., а с 1710 г. его стали поминать в церквях как молитвенного предстоятеля за Невскую землю. В 1723 г. Петр I повелел перенести мощи святого в Александровский собор Александро-Невского монастыря. В 1746 г. императрица Елизавета Петровна приказала соорудить в монастыре серебряную гробницу в память защитника Русской земли св. Александра Невского и своего отца — Петра I.

Гробница Александра Невского — сложное по композиции сооружение. Монумент состоит из двух ковчегов — серебряного и находящегося внутри него старого медного, большой пятиярусной пирамиды, двух малых пирамид с воинскими трофеями и двух напольных подсвечников. Над созданием этого уникального образца русского барокко в течение семи лет трудились несколько десятков русских и иностранных мастеров. В работе принимали участие Д. Трезини и Ф. Б. Растрелли. Общее руководство осуществлял советник Монетной канцелярии И. А. Шлатер. В основу композиции был положен рисунок придворного портретиста Г. К. Гроота. На изготовление гробницы пошло почти 1,5 т серебра, выплавленного на Невьянском заводе из руды, поставленной с алтайских рудников наследниками Акинфия Демидова. На трех стенах раки расположены чеканные горельефы, прославляющие героические деяния Александра Невского и изображающие битву с ливонскими рыцарями, вступление во Псков, битву близ устья Ижоры, прибытие больного князя из Орды и его кончину. На четвертой стороне раки выгравирована эпитафия, написанная М. В. Ломоносовым:

Святой и храбрый Князь здесь телом почивает,
Но духом от небес на град сей презирает
И на брега, где он противных побеждал
И где невидимо Петру споспешествовал.
Являя Дщерь Его усердие святое,
Сему Защитнику воздвигла раку в честь
От первого сребра, что недро Ей земное
Открыло, как на трон благоволила сесть.

Рака Александра
Невского.
1746—1753 гг.

Туалетный прибор Анны Иоанновны.
Мастер И. Л. Биллер. 1736—1740 гг.

фавориту — герцогу Бирону. Выплаты Придворной конторы за ювелирные изделия и драгоценную посуду, приобретенные Анной Иоанновной, исчислялись астрономическими суммами. Только в 1733—1734 гг. они составили 253 425 рублей, причем на содержание всего двора за тот же период было выплачено 260 тыс. рублей.

Еще со времен Екатерины I подданным запрещалось дважды появляться при дворе в одном и том же платье. Наряду с этим императрицы ревностно следили за тем, чтобы прически дам не изобиловали драгоценностями: голову дозволялось украшать только с левой стороны. Долгое время в придворной жизни России бытовало еще одно ограничение, заимствованное из Франции Людовика XIV: при дворе парные браслеты имели право носить только государыня и принцессы крови.

К середине XVIII в. в Зимнем дворце сложилось богатое собрание художественного серебра и драгоценностей, изготовленных не только

Парадная столовая
Екатерининского дворца
в Царском Селе.

Камея «Альфонсо II д'Эсте и Лукреция Медичи». Италия. 1560 г. Приобретена Екатериной II у герцога Орлеанского.

Камея «Марс и Венера». Франция. После 1530 г.

в Петербурге, но и во Франции, Германии, Англии. Из Китая через Астрахань в российскую столицу тянулись возы с драгоценными камнями, украшениями, изделиями из резного камня.

Среди венценосных европейских покупателей и заказчиков ювелирных ценностей первое место, без сомнения, принадлежало Екатерине II. Ее агенты приобретали в Европе и на Востоке не только отдельные произведения искусства, но и целые коллекции камей и уникальных работ ювелиров. Императрице удалось объединить под одной крышей кабинеты

резных камней Луи Филиппа Орлеанского, французского дипломата барона де Бретейля, барона д'Эннери и герцога Сен-Мориса. В Дрездене она купила коллекцию Жана Батиста Казановы — брата искусителя дамских сердец, в Лондоне — коллекцию Элджернона Перси[1]. Наконец, Екатерина II приобрела глиптотеку Йозефа Анджело де Франца — австрийского дипломата, банкира и коллекционера, бывшего в правление императрицы Марии Терезии генеральным директором императорской сокровищницы, кунсткамеры и картинной галереи в Вене. Его коллекция, включавшая 2502 геммы, явилась самым крупным поступлением в императорский Кабинет глиптики.

Небольшая, в 150 единиц хранения, коллекция камей, оставшаяся после Петра I, за годы правления Екатерины II выросла до 10 тыс. оригиналов и 34 тыс. оттисков и гипсов. Во второй половине XVIII в. искусство, устав от чувственного и утонченно-изысканного стиля рококо, возвращается к идеалам Возрождения, в свою очередь базировавшимся на традициях Античности. Для нового стиля — классицизма, навеянного открытиями Помпей и Геркуланума, характерно стремление к ясности,

Галерея Рафаэля. Эрмитаж.

Камея «Петр Великий». Италия. Мастер И. Ведер. 1780-е гг.

Императрица Екатерина II отводила в своем расписании до трех часов в день, после обеда, на разбор своей «бездны», как она называла коллекцию. Делать описи ей помогал библиотекарь и хранитель Кабинета академик А. И. Лужков. Предметы распределялись в строгом хронологическом порядке: от «времен Египетских до наших дней». «Этим любуюсь только я и мыши…» — писала о коллекции глиптики государыня.

Камея «Аполлон, убивающий Пифона». Милан (Прага?). Конец XVI в. Из собрания И. Франца в Вене.

благородной простоте и естественному, природному совершенству. Европейское общество увлеклось теорией «естественного человека», чьи ум и душа не развращены пагубным влиянием цивилизации. Идеи возврата к природе диктовали Д. Дидро и Ж. Ж. Руссо, чьими трудами зачитывалось просвещенное дворянство России, а Екатерина II даже поддерживала с Дидро постоянную переписку.

Влияние нового стиля отразилось на всех областях художественного творчества, от архитектуры, отмеченной творениями выдающихся зодчих — А. Н. Воронихина, К. И. Росси, А. П. Брюллова и И. И. Гальберга, — до прикладного искусства.

Просвещенная часть русского общества буквально бредила культурой Античности. Дамы одевались и причесывались «а-ля грек», туалеты дополняли украшениями строгой и благородной формы. Состоятельные господа собирали коллекции резных камней — камей и инталий. Их вставляли в броши, браслеты, перстни, серьги, часы и табакерки.

Медальон с камейным портретом Екатерины II. Мастер И. К. Егер. 1774—1780 гг.

Те, кому подлинные геммы оказывались не по карману, приобретали украшения с копиями, выполненными из керамики или папье-маше.

Редкой сложности камеи с профилем Екатерины II выполнил профессор Петербургской академии художеств Иоганн Каспар Егер. Одна из них, закрепленная в строгую золотую брошь, вырезана на твердом, трудном в обработке сапфире, две другие — на красивого тона изумрудах массой 20 и 36 каратов. Изумруд — камень очень хрупкий, он требует от резчика особого мастерства, поэтому геммы на изумруде крайне редки. Камеи украшают и богатейшие вклады императрицы в церкви и монастыри России. Превосходными камеями на агате, гиацинте и яшме декорированы потир и звездица, вложенные Екатериной II в Троице-Сергиеву лавру. Видимо, эти камни были выданы из обширной глиптотеки императрицы.

Табакерка с портретом Екатерины II. Мастер Ж. Ф. К. Будде. Санкт-Петербург. Около 1780 г.

В моду вошли научные знания по минералогии. Умение определять редкие камни по внешнему виду считалось одним из признаков образованности. Появился даже особый тип табакерок, их крышку украшали поставленные в ряд пластинки различных камней. Такие табакерки называли минералогическими кабинетами. Внутри лежал листок бумаги с перечислением камней. Есть такая табакерка и в коллекции Эрмитажа.

Табакерка «минералогический кабинет». Мастер Д. Рудольф. 1780 г.

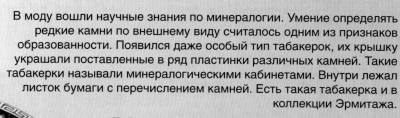

Знать Европы увлеклась камнерезным делом. Известно, например, что маркиза Помпадур училась этому мастерству у знаменитого резчика Ж. Гюэ и под его руководством выточила для себя диадему, составленную из ага-

Неизвестный художник. Портрет Марии Федоровны. Вторая половина XVIII в.

Камея «Екатерина II в образе Минервы». Работа великой княгини Марии Федоровны. 1789 г.

«Камейная болезнь» Екатерины II, как шутливо она называла свое увлечение, оказалась заразной для ее приближенных. Любимым «рукоделием» при дворе становится изготовление слепков с камей из папье-маше, чем с успехом занималась сама императрица. В 1795 г. великая княгиня Мария Федоровна передала ювелиру Якову Дювалю целую серию слепков с античных камей. Он превратил слепки в роскошную сканную парюру из 11 украшений в стиле ампир, осыпанных бриллиантами. Супруга будущего императора Павла I готовила ее к свадьбе своей дочери, великой княжны Александры Павловны[2].

Санкт-Петербургского монетного двора, резчика на твердых камнях Карла Александровича Леберехта. Лучшую из своих работ — портрет Екатерины II в образе Минервы — она преподнесла государыне в 1789 г. на день ее тезоименитства. Художественные достоинства этой камеи, выточенной на розово-серой яшме, столь значительны, что ее композицию позже повторяли в бисквите, стекле, фарфоре[3].

Из ограненных драгоценных камней в 1780—1790-х гг. предпочтение отдают бриллианту. Если в 1750—1770-х гг. он служил роскошным аккомпанементом цветных камней, то теперь бриллиант стал главным украшением орденских знаков, парадного оружия, ювелирных изделий. Бриллианты сияют на роскошных окладах икон и Евангелий, вложенных Екатериной II в церкви Петербурга, Москвы и Киева.

Росла царская семья. У императрицы Екатерины II взрослели внуки, которых надо было женить, приданое требовалось и для многочисленных внучек. Алмазная мастерская государыни не справлялась с огромным количеством заказов — отдельные украшения и целые гарнитуры, орденские знаки, эполеты, сабли, шпаги и кин-

Брошь в виде букета цветов. Россия. 1750–1770 гг. Из коллекции Екатерины II. Продана в 1927 г. на аукционе «Кристи».

товых листочков. Увлекалась камнерезным искусством и Екатерина II. По ее распоряжению была создана «Школа антиков», в которой талантливые молодые художники постигали тайны камейного дела.

Мария Федоровна осваивала искусство резьбы по камню под руководством знаменитого медальера

Специалисты предполагают, что в конце 1790-х гг. был изготовлен и великолепный, торжественный по композиции эгрет, хранящийся ныне в Алмазном фонде. Он напоминает сказочные перья павлина, бриллиантовые «ости» которых завершают чуть покачивающиеся глазки с крупными сапфирами. Минералоги шутят, что ювелир собрал на этом эгрете целую коллекцию цейлонских сапфиров; вес самого крупного превосходит 60 каратов.

Эгрет. Около 1800 г.

значится огромный сапфир в 48,5 карата. Поражают красотой тяжелые серьги с васильково-синими подвесками — весом по 15 каратов каждая — и удивительно тонко подобранные камни на корсаже и ленте-барьере[4].

Д. Г. Левицкий. Портрет М. И. Кречетникова. 1776—1779 гг.

жалы, да мало ли что еще! Заказы приходилось размещать у частных мастеров. Предпочтение дворцовое ведомство отдавало фирме «Дюваль и сын». Заказывали так много, что в 1790 г. Кабинет двора задолжал ювелиру 280 тыс. рублей. И это при том, что значительную часть камней, пошедших на выполнение заказов, выдавали фирме из ценностей, подотчетных Кабинету. К сожалению, судьба большинства этих прекрасных вещей неизвестна. Составить впечатление о них можно, рассматривая серию портретов, написанных французской художницей Марией Луизой Элизабет Виже-Лебрен, работавшей в России в 1790-е гг.

На портрете 1795 г. мы видим изображенную в рост юную супругу будущего императора Александра I Елизавету Алексеевну. Придворный костюм прелестной девушки дополнен жемчужным ожерельем-склаважем и браслетами из убора, подаренного ей императрицей по случаю именин. Щедрая бабушка одарила великую княгиню также «убором с синими яхонтами» (сапфирами), за изготовление которого Дювалю заплатили 26,5 тыс. рублей. Среди камней, выданных ювелиру,

Бриллианты в изобилии украшают не только дамские парадные туалеты, ими буквально осыпаны штатское мужское платье и военные мундиры. Бриллиантовые «прикрасы» к шляпе — кокарда, петля и лавровый венок, пожалованные Екатериной II Г. А. Потемкину, обошлись в 200 тыс. рублей. Так императрица отблагодарила князя за «громкие виктории» у Фокшан, Рымника и Бендер, одержанные русскими войсками под водительством А. В. Суворова. Государыня посчитала нужным отметить усердие главнокомандующего, а не гений полководца.

Бриллиантовый эполет. Вторая половина XVIII в.

Украшения, дополнявшие парадное придворное платье XVIII в., были как съемными, так и нашивными, так называемыми дисеинами (от *фр.* dessin — «узор на бумаге для ковра»). Понятно, что особым богатством отличались туалеты для торжественных выходов высочайших особ. В Алмазном фонде хранятся два комплекта дисеинов, в разное время изготовленные для великого князя Павла Петровича. Первый состоит из нашивок на карманы кафтана, пуговиц и бриллиантовых лент, которые крепились на камзоле.

Во втором дисеине, выполненном к фраку великого князя, бриллианты сочетаются с аметистами. Тонкий по цвету и совершенный по исполнению комплет нашивок был изготовлен весной 1779 г. в мастерской Л. Дюваля. Чуть позже, ко дню тезоименитства, вторая супруга цесаревича, великая княгиня Мария Федоровна, подарила ему но-

А. Рослен. Портрет А. Строганова. 1772 г.

В. Эриксен. Великий князь Павел Петрович в учебной комнате. 1760-е гг.

Нашивки на камзол. Вторая половина XVIII в.

Дисеин для Павла Петровича заказала Екатерина II в 1767 г., когда цесаревичу исполнилось 12 лет. В расшитом алмазами наряде наследник должен был достойно представить царствующую семью на торжественном приеме в Грановитой палате в честь открытия работы комиссии по принятию нового государственного Уложения. Спустя шесть лет, в 1773 г., к свадьбе будущего императора с первой женой, Натальей Алексеевной, дисеин дополнили новыми деталями. В полном наборе он насчитывал 365 звеньев, украшенных довольно крупными бриллиантами, и оценивался почти в 150 тыс. рублей. Столетие спустя, в 1884 г., 80 фрагментов нашивок из этого дисеина использовали для изготовления царских венчальных корон.

вый драгоценный убор, дополнявший предыдущий. Согласно счетам, подарок этот делали в Алмазной мастерской «из казенных камней»[5].

Личное и государственное

Вступив на престол, Павел I предпринял попытку упорядочить использование сокровищ Бриллиантовой комнаты. Он запретил заказывать новые короны. Во всех следующих церемониях коронации применялись только государственные регалии, в которых короновались он сам и не слишком любимая им матушка.

При Павле I произошло и жесткое законодательное разграничение денежных средств, предоставляемых членам царствующей династии. Причем касалось это и повседневной жизни монаршей фамилии, и судьбы накопленных веками сокровищ. Закон от 1797 г. определил сумму ежегодных выплат членам царской семьи строго в соответствии с их положением: супруга, наследник престола, дети и внуки. В течение царствований Павла I и Александра III этот порядок несколько раз корректировался, а затем оставался в почти неизменном виде до начала XX в.[6]

За сокровищами Бриллиантовой комнаты Зимнего дворца окончательно закрепился статус государственной собственности, в отличие от вещей, приобретенных на личные средства или полученных по завещанию либо в подарок. И даже предметы, переданные в Бриллиантовую комнату по завещанию, навсегда изымались из собственности семьи. Так, например, супруга Павла I Мария Федоровна из числа своих личных украшений особо выделила два перстня с уникальными бриллиантами — голубым (7 каратов) и розовым (3,36 карата). По ее завещанию они перешли в пожизненное владение сыну и невестке, после смерти которых редчайшие камни следовало передать в Бриллиантовую комнату. В настоящее время оба бриллианта, вправленные в булавки в первой четверти XIX в., хранятся в Алмазном фонде.

Игрушки у царских детей были такие же, как и у обычных, только дороже и более качественные. Имелись среди них и настоящие диковинки, заказанные у ювелиров. Годовалый цесаревич Александр Павлович — будущий император Александр I — изображен на портрете с любопытной игрушкой в руках. Художник аккуратно выписал золотую с бриллиантами, изумрудами и рубинами погремушку-свисток интересной конструкции. Ее в свое время заказала императрица Анна Иоанновна у петер-

Г. Кюгельген. Павел I с семьей. Фрагмент. 1800 г.

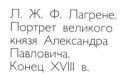
Погремушка-свисток и курительная трубка. Санкт-Петербург. Конец XVIII – начало XIX в.

Л. Ж. Ф. Лагрене. Портрет великого князя Александра Павловича. Конец XVIII в.

бургских ювелиров Самсона Ларионова и Михаила Бельского для одного из своих внучатых племянников. После него игрушку передавали всем мальчикам, рожденным в царской семье. Последним ею забавлялся единственный сын Николая II цесаревич Алексей. Ныне погремушка хранится в Алмазном фонде.

Не скупилась на подарки внукам и Екатерина II. По ее распоряжению для семилетнего Александра Павловича была изготовлена сабелька весом всего 80 г. Она соответствовала росту цесаревича, а эфес сабельки сверкал бриллиантами. Венценосная бабушка заказала внуку серебряный барабан с палочками, который на протяжении столетия переходил от одного царевича к другому.

Иногда в игрушки превращались обычные вещи царской семьи. Начальник канцелярии Министерства двора генерал А. А. Мосолов вспоминал, как семья Николая II сопровождала императора в 1902 г. на военных маневрах в Подмосковье. Царский поезд переезжал от станции к станции. На остановках дети, спустившись с высокой насыпи, затевали игры. Младшая сестра Николая II великая княгиня Ольга Александровна вынесла им большие серебряные подносы, и они наперегон-

Игрушечные солдатики. XVIII в.

Ф. Рокотов. Портрет Алексея Бобринского. Около 1763 г.

Погремушка. Германия. Конец XVII в.

ки понеслись с насыпи, как на салазках. В веселую игру втянулись и молодые генералы из свиты императора[7].

А однажды под Рождество Николай II сделал детям сказочный подарок: заказал у Фаберже две миниатюрные елочки из серебра. Каждую веточку венчал крошечный бриллиант. Елочки хранились в стеклянных футлярах и в Рождественские дни радовали детей, но трогать их им не позволяли.

Игра в солдатики — любимое занятие мальчишек. Комплект солдатиков для будущего императора Петра III выполнили искусные мастера. Даже сабельки и серебряные пуговки с эмалью для мундиров заказали у знаменитого ювелира Экарта. О них упоминает в дневнике Екатерина II, заставшая однажды молодого супруга на полу в окружении аккуратно расставленных фигурок.

Бриллиантовых дел мастера

В середине — второй половине XVIII в. в Петербурге трудилась плеяда блестящих ювелиров и золотых дел мастеров, в том числе много иностранцев, приехавших к богатому русскому двору. Они искали здесь успеха, денег и признания. Одни связали с Россией свою творческую судьбу и, выполнив здесь свои лучшие работы, годы спустя покидали ее. Для других Россия стала новой родиной, здесь родились их дети, продолжившие отцовское дело. Среди них прославленные бриллиантщики Иеремия Позье, Жан Пьер Адор, Луи Давид Дюваль, Иоганн Готлиб Шарф, Жан Франсуа Ксавье Будде, Леопольд Пфистерер и др. Их работы ценились очень высоко. Известно, например, что жалованье Л. Пфистерера в бытность его главой Алмазной мастерской составляло 2 тыс. рублей в год, при этом

Табакерка, украшенная корзинкой цветов. Мастер И. Позье. 1740-е гг.

Неизвестный художник. Портрет Иеремии Позье. XVIII в.

Букет цветов. Мастер И. Позье. 1740-е гг.

С именем Иеремии Позье связывают хранящееся в Эрмитаже настольное украшение в виде букета цветов, стоящего в миниатюрной вазочке, выточенной из горного хрусталя. Цветы и бутоны этого букета выложены превосходными цветными камнями, окруженными бриллиантами. В собрании Эрмитажа хранится также очаровательная золотая табакерка изящной рокайльной формы, крышку которой украшает бриллиантовая корзина с огромным сапфиром. Она была выполнена в мастерской Позье в 1740-х гг.

он находился на полном содержании государства. Заметим, что годовое жалованье прославленного архитектора Антонио Ринальди составляло 3 тыс. рублей, а обер-гофмаршала графа Г. Г. Орлова — чуть более 2,5 тыс. рублей.

Пожалуй, самым именитым среди ювелиров, работавших в Петербурге в середине XVIII в., был Иеремия Позье (1673—1779). Свое имя он прославил прежде всего исполнением символа государственной власти — большой императорской короны. Жереми (Иеремия) Позье, которого в Петербурге уважительно величали Еремеем Петровичем, прибыл в Россию 13-летним под-

Пряжка-аграф.
1750 г.

Из «Записок придворного бриллиантщика» мы узнаём, что после поездки в Европу Позье первым среди петербуржцев начал работать с восковыми моделями, подбирая на них камни для нового изделия, что позволяло выявить их красоту и удачно продемонстрировать заказчику, какой будет вещь.

ростком. Большую часть пути из родной Женевы до российской столицы они с отцом проделали пешком. На этот шаг семья решилась «из-за незначительности состояния», писал он спустя много лет в воспоминаниях, опубликованных под названием «Записки придворного бриллиантщика»[8], а также в надежде на улыбку судьбы в далекой, заснеженной, но богатой России.

После смерти отца 15-летний парнишка по совету земляков на семь лет поступает в учение к придворному бриллиантщику и искусному огранщику Бенедикто Граверо. По воле императрицы Анны Иоанновны, любившей наблюдать за огранкой камней, Жереми Позье вместе с другими учениками часто работал во дворце, заменяя учителя, имевшего большую склонность к вино-

питию. Императрица отметила исполнительного юношу и намеревалась даже направить его с экспедицией в Китай, дабы он лучше научился распознавать и оценивать камни. Спустя несколько лет Жереми выкупил у вдовы своего учителя мастерскую и открыл собственное дело, нанимая мастеров-ювелиров, ведь сам он был прежде всего огранщиком и знатоком камней: «Моя специальность заключается только в резке и оценке камней, так как я знаю хорошо их стоимость и достоинство». Человек талант-

Тронный зал Зимнего дворца.

А. П. Антропов. Портрет А. К. Воронцовой. 1763 г.

Приступая к изготовлению новых изделий, ювелиры нередко осматривали, с высочайшего соизволения, драгоценности, выполненные «не во вкусе времени», и демонтировали их, дабы употребить камни на иной манер. Иногда, согласно воспоминаниям Иеремии Позье, для подарка «бедным голштинским родственникам» заказывали вещи, в которых натуральные камни соседствовали с имитациями. Так, Петр III заказал для своих выписанных из Голштинии небогатых тетки и племянницы «несколько уборов с фальшивыми камнями. Они были перемешаны с бриллиантами так, что невозможно было догадаться, что камни не настоящие». Видимо, вступивший на престол император таким образом избегал лишних расходов.

Табакерка. Мастер И. Позье. Середина XVIII в.

ливый, яркий и неординарный, Позье быстро обзавёлся полезными знакомствами; его заказчиками становятся самые влиятельные люди — герцог Бирон, Воронцовы, Шуваловы, принц Георг Голштинский. С 1738 г. он числится на дворцовой службе, достигнув при Петре III довольно высокого чина бригадира. На протяжении своей четвертьвековой карьеры в России мастер, по его собственным словам, успел сослужить службу четырём императрицам и одному императору... Ловкий, с авантюрными способностями, он интриговал, а порой оказывал весьма щекотливые услуги высокопоставленным особам.

Мастерская Иеремии Позье была солидным учреждением, в ней труди-

лись и русские ювелиры, и закрепщики из Франции и Австрии. Большинство крупных работ мастерская выполнила в 1750-х — начале 1760-х гг., в период правления императриц Елизаветы Петровны и Екатерины II. В счетах, выставленных мастером и оплаченных, значатся осыпанные бриллиантами орденские знаки, перстни, подвески, ожерелья-склаважи, табакерки, вошедшие в моду в середине века роскошные букеты из драгоценных камней.

Леопольд Пфистерер, сменивший при дворе отошедшего от дел Иеремию Позье, начал службу в Петербурге в 1764 г. Он выполнил немало превосходных работ: императорский скипетр со знаменитым алмазом «Орлов», многочисленные украшения, орденские знаки и наградное оружие, сиявшее россыпью драгоценных камней. В сложнейшей технике инкрустации золотом и серебром (*фр.* quatre couleurs — «четыре цвета») Пфистерер изготовил шпагу, пожалованную Екатериной II графу А. Г. Орлову-Чесменскому за победную Морейскую экспедицию.

Парадное оружие, наградные знаки, роскошные табакерки и другие ценности значатся в счетах, представленных к оплате Кабинету Ее Императорского Величества ювелиром Жаном Жаком Дюком, который, видимо, начал исполнять заказы двора с 1774 г. Об объеме заказов говорит сумма долга Кабинета за 1788–1789 гг. — 143 тыс. рублей. Именно тогда Дюк выполнил шпагу с бриллиантами, заказанную Екатериной II для Г. А. Потемкина. Императрица преподнесла князю эту шпагу на золотом овальном блюде с торжественной надписью по бортику: «Командующему Екатеринославскою сухопутною и морскою силою яко строителю военных судов».

Бант-склаваж. Мастер Л. Пфистерер. 1764 г.

Навершие императорского скипетра.

Почти три четверти века работали в Санкт-Петербурге ювелиры из семейства Дюваль, потомки которых уже в середине XIX в. основали в России банк. Самыми известными из Дювалей стали Луи Давид (1727–1788) и его сыновья Якоб и Жан Франсуа Андре. В 1776 г. Луи Дюваль выполнил несколько наградных шпаг с бриллиантами на эфесах и получил за эту работу около 5 тыс. рублей. Одна из этих шпаг была пожалована А. В. Суворову. Счет, датируемый 1773 г., касается маленькой шляпки с «яхонтами и бриллиантами», приобретенной Екатериной II и предназначенной, очевидно, для куклы, на которой государыне показывали модели ее будущих платьев. За эту забавную мелочь мастеру выплатили из казны 2200 рублей.

Л. Д. Дюваль, став придворным ювелиром, изготавливает бриллиантовые вещи, отмеченные особым изяществом и элегантностью. Это и роскошные шпильки в виде то рога изобилия, то миниатюрных корзиночек с цветами, и модные в 1760—1770-х гг. корсажные булавки, составленные из роз, ирисов, нарциссов и незабудок. Одна из таких булавок — в виде букета из трех нарциссов (1774 г.) — подлинный шедевр ювелирного искусства. Выложенные бриллиантами лепестки нарциссов сияют, будто капли росы под лучами солнца. Великолепный эффект достигнут благодаря тому, что цветы в букете закреплены на маленьких пружинках. Букет этот был оценен в 15 тыс. рублей.

Траты на драгоценные вещи для членов царской семьи, подарки придворным, в особенности тем, кто участвовал в возведении императрицы на трон, были непомерными. Так, в 1762 г. при вступлении на престол Екатерины II «комнатные деньги» составляли 1 190 345 рублей. Поэтому пополнение «комнатных денег» из средств Министерства двора стало обычным делом.

Шпилька «Рог изобилия». Мастер Л. Д. Дюваль. 1780 г.

Другой корсажный букет работы Л. Д. Дюваля, ныне украшающий витрину Алмазного фонда, имеет достаточно внушительные размеры для женского украшения – 16 х 21 см. Его заказала Екатерина II для подарка невесте сына — принцессе Августе Вильгельмине Гессен-Дармштадтской, получившей при переходе в православие имя Натальи Алексеевны. Крупные цветы букета выложены бриллиантами, поставленными на цветную фольгу. Золотые листья плотно «умощены» изумрудами, хорошо подобранными по цвету и форме. Согласно архивным данным, за эту работу Дювалю выплатили 12 тыс. рублей из «комнатных денег», т. е. из личных средств императрицы.

Шляпка. Мастер Л. Д. Дюваль. Вторая половина XVIII в.

Большой букет. Мастер Л. Д. Дюваль. Около 1760 г.

ШЕДЕВРЫ ДЕВЯТНАДЦАТОГО СТОЛЕТИЯ

Классика и романтизм

Украшения для царской семьи — вершина развития отечественного ювелирного искусства XIX — начала XX в. Столичные ювелиры начали новое столетие сказочной бриллиантовой диадемой, исполненной для супруги Александра I Елизаветы Алексеевны, а завершили легендарными пасхальными сувенирами фирмы Фаберже, которым суждено было стать символами безграничной фантазии и непревзойденного совершенства.

Самыми известными ювелирами, обслуживавшими двор в первой четверти XIX в., были братья Дювали, Франсуа Сеген, Клод и Пьер Этьен Терремены, Иоганн Вильгельм Кейбель. Почти все они начали творческий путь еще при Екатерине II, а в своих поздних работах продолжали развивать стилистику классицизма, завершающим этапом которого стал ампир. Их изделия логично дополняли напоминавшие тунику платья, сшитые из легких струящихся шелков с глубоким декольте и завышенной линией талии. Такие платья подхватывали под грудью поясом, к которому требовалось драгоценное украшение — камея или крупный камень. На открытых руках дамы носили по два-три браслета, часто соединенные цепочкой. Браслеты-цепочки украшали и щиколотки. Разнообразием отличались украшения дамской головки — драгоценные гребни и обручи сверкали в прядях волос. На портретах императриц Марии Федоровны и Елизаветы Алексеевны можно рассмотреть фероньерки с крупными камеями в центре. Бальный вариант прически завершали диадемы с обилием драгоценных камней, чаще всего бриллиантов.

Ж. Л. Монье.
Портрет императрицы Елизаветы Алексеевны. 1902 г.

Диадема императрицы Елизаветы Алексеевны входила в свадебный убор великих княжон дома Романовых. Ее композиция проста и элегантна: чуть вытянутый треугольник, заполненный четким и ясным рисунком, выложенным бриллиантами. В диадеме гармонично соединились черты древнегреческой тиары и русского девичьего кокошника. По нижнему серебряному ободку вплотную друг к другу закреплены круглые бриллианты. Контур треугольника создает второй ряд аналогичных камней, обрамленный двумя рядами каплевидных бриллиантов, причем нижний ряд подвешен, а не закреплен. При малейшем движении головы камни вздрагивали, мерцали, и тогда всю диадему окружал сияющий ореол. В центре диадемы помещен светло-розовый бриллиант массой 13,35 карата, в гнездо под который подложена красная фольга. Вот почему во многих описаниях фигурирует красный бриллиант под именем «Павел I».

Диадема. Около 1810 г.

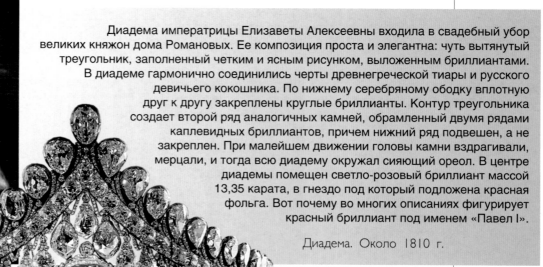

ственной войны 1812 года, вызвали и интерес к национальной истории, культуре и искусству. В моду вошел любимый некогда на Руси жемчуг. Аристократки надевают к бальному платью жемчужные ожерелья в несколько рядов и широкие жемчужные браслеты с замками, увенчанными крупным ограненным камнем. Такие украшения считали более демократичными, близкими к народному стилю.

Что касается мужского костюма, в том числе придворного, то с начала XIX в. его блеск становится гораздо скромнее. Демонстрация достатка семьи и вкуса в подборе украшений теперь уже навсегда закрепляется за туалетом дамы. Мужской статский костюм эпохи ампира обычно дополняют перстни, булавки для галстука и часы на бортовой цепочке; по-прежнему востребованы красиво отделанные табакерки. А вот парадный мундир высшего офицерского состава блистает орденскими знаками и звездами, изготовление которых поручали лучшим столичным ювелирам.

Неизвестный художник. Портрет императрицы Марии Федоровны. Начало XIX в.

Признанным шедевром ювелирного искусства эпохи русского ампира принято считать диадему, хранящуюся в Алмазном фонде. Она выполнена в 1810 г. братьями Дювалями для супруги Александра I, императрицы Елизаветы Алексеевны. Неповторимая красота диадемы определила ее особое место среди шедевров европейского ювелирного искусства начала XIX в. Получившая название «русская тиара», она вдохновила многих известных русских и иностранных ювелиров, в том числе парижан Луи Франсуа Картье, Фредерика Бушерона.

Идеи национальной гордости и патриотизма, захватившие русское общество после Отече-

В. Л. Боровиковский. Портрет Александра I. XIX в.

Перстень с вензелем Александра I. Россия, Санкт-Петербург. Начало XIX в.

Табакерка с вензелем Александра I. Россия. Мастер П. Э. Терремен. 1800 г.

Ф. К. Винтерхальтер. Портрет Татьяны Александровны Юсуповой. Середина XIX в.

Неизвестный художник. Портрет великой княгини Марии Николаевны. XIX в.

французских названий складывались в приветственное пожелание или имя дорогого сердцу человека. Так украшали перстни, браслеты и табакерки. Вдова Павла I императрица Мария Федоровна, например, хранила тонкие изящные браслеты с зашифрованными в камнях именами ее мужа и сыновей.

Роскошь украшений аристократии и стремление к обладанию ими у людей, владевших значительным состоянием, теперь, как и во времена Екатерины II, удивляли иностранных визитеров.

Стиль и мода в XIX в. менялись как никогда быстро. В декоративно-прикладном искусстве Европы, а во многом и России, это нашло выражение в интересе к «неостилям», воспроизводившим старинные формы и элементы декора: неоготике, неоренессансу, стилям Людовиков, византийско-русскому.

Француз А. де Кюстин, автор книги «Россия в 1839 году», присутствовавший при венчании дочери Николая I великой княгини Марии Николаевны с герцогом Лейхтенбергским, отметил: «Украшения и драгоценные камни дам блистали волшебным блеском среди всех сокровищ Азии, покрывающих стены храма, в котором царская роскошь, казалось, соперничала с величием Бога. Власть небесную здесь чтили, не забывая в то же время о власти земной».

Кольцо с миниатюрой Николая I. 1834 г.

В 20-х гг. XIX в. на смену классицизму и ампиру приходит романтизм. Этот стиль принес увлечение украшениями и аксессуарами с акрограммами — полосками поставленных в ряд камней, подобранных так, что первые буквы их

Гербовый зал
Зимнего дворца.

Браслет с алмазом «Тафельштейн».
Первая половина XIX в.

Ч. Л. Тиффани. Браслет.
Золото, бриллианты. США.
1850—1855 гг.

В центре браслета помещена миниатюра с изображением Александра I, написанная акварелью по слоновой кости. Прообразом для нее послужил портрет императора, выполненный английским живописцем Джорджем Доу для галереи героев войны 1812 года в Эрмитаже. Миниатюра покрыта уникальным алмазом «Тафельштейн». Фермуар (застежка) и центральная часть с килевидными и треугольными арочками и колючими завершениями напоминают готические пинакли — архитектурные детали в виде пирамидки — и хорошо сочетаются с остроугольной формой алмаза. Золотое плетение браслета также стилизовано под готические мотивы.

Украшение для корсажа. 1840-е гг. Разделяется на две части, а подвески отстегиваются.

Пробуждается интерес к историческому прошлому страны и ее художественным традициям.

Дамы зачитываются поэмами лорда Байрона и романами Вальтера Скотта, их влечет все готическое. Они надевают легкие фероньерки на тонких цепочках и браслеты готической орнаментики, украшенные яркими эмалями. Именно тогда и был изготовлен массивный золотой браслет в неоготическом стиле, декорированный цветной эмалью. Это ювелирное изделие заказал, видимо, в память об императоре Александре I кто-то из членов его семьи.

Мода 1840—1850-х гг. окончательно отказалась от торжественности и величавости классицизма. Она привнесла в искусство костюма и ювелирных украшений усложненность композиций, насыщенность узоров и яркость многоцветья. Однако петербургские ювелиры, ориентированные на применение в парадных придворных туалетах большого количества драгоценных камней, сохранили интерес к строгим композициям, особенно если их центром служил крупный камень. Модными в эти годы стали тяжелые золотые броши и браслеты с большим камнем, с 1850-х гг. дополненные цветными эмалями. К этому времени относятся две массивные золотые броши, хранящиеся в Алмазном фонде.

К. Робертсон. Портрет императрицы Александры Федоровны. 1841 г.

С. Александровский. Парадный спектакль в Большом театре в Москве по случаю коронации Александра III в мае 1883 г.

Английский посол Лофтус, аккредитованный при русском дворе в 1872 г., оставил красочное описание придворных балов: «Двор поражает своим великолепием, в котором есть что-то напоминающее Восток. Балы с живописным разнообразием военных форм, среди которых выделяется романтическое изящество кавказских одеяний, с исключительной красотой дамских туалетов, сказочным сверканием драгоценных камней, своей роскошью и блеском превосходят все, что я видел в других странах».

ны были броши в виде легкокрылых бабочек, стрекоз, осыпанные многочисленными самоцветами. Они служили цветовым контрастом к легким шелкам бальных туалетов, для которых предпочитали зелено-серые, жемчужные, серебристо-голубые, палевые тона, подчеркивающие «модную бледность» лица и манерную усталость движений.

Солонка в виде трона. Фирма П. А. Овчинникова. 1875 г.

Работы мастеров московской ювелирной школы отличают живописность, красочность, тяготение к декоративным мотивам модерна. Это изделия из серебра: вазы, флаконы для туалетной воды, портсигары, дополнения к повседневным костюмам, с которыми сторонницы «хорошего тона», как правило, носили различные броши и подвески на длинных цепях, поясные пряжки и шляпные булавки с эмалью и поделочными камнями. Среди них роскошные броши-кулоны: гибкие, с неуловимым контуром и узором в виде ландышей, дополненные бриллиантами, аквамаринами, уральскими демантоидами, порой тактично оттененные опалесцирующими эмалями; популяр-

Парадная представительность, роскошь и вместе с тем изысканность, веками определявшие стиль жизни русского императорского двора, стали неотъемлемой частью его психологии и традиций. Неудивительно поэтому и особое отношение к ювелирам. «После царя первый человек — ювелир», — писал один из ведущих мастеров фирмы Фаберже Август Хольстрем.

В середине — второй половине XIX в. в обеих российских столицах — Петербурге и Москве трудилась плеяда блестящих ювелиров — Ф. Кехли, братья Зефтигены и Болины, непревзойденный Карл Фаберже. Это время отмечено также основанием новых фирм, очень быстро составивших славу ювелирного искусства России, — И. П. Сазикова, П. А. Овчинникова, И. П. Хлебникова. Они предлагали самый широкий ассортимент украшений, выполненных в разнообразной стилистике — от подарочных, «подносных» ковшей и братин в духе русского узорочья XVII в. до изысканных изделий в стиле модерн, созданных мастерами и художниками фирмы И. П. Хлебникова уже в начале XX в. Русские ювелиры успешно выступали на отечественных и зарубежных художественно-промышленных выставках, жюри которых неизменно отмечали оригинальность композиций и чистоту исполнения изделий.

В XIX в. особое значение придавалось эстетическим достоинствам украшений. Не случайно на портретах членов царствующей династии, созданных в ту пору, детально и любовно выписаны украшения костюма. Тщательность, «ювелирность» исполнения рассматривалась как их непременное качество. Изделия «визитного» и «каждоднев-

ного» назначения часто были украшены эмалью, в том числе живописной, и микромозаикой, искусство которой, развитое в Италии, нашло своих последователей и в России. По-прежнему любили и ценили камеи.

Середина XIX в. ознаменовалась возвращением к натуралистическим мотивам, трактованным в стилистике рококо, — цветам, буке-

Брошь с камеей «Аллегория ночи». Англия. Середина XIX в.

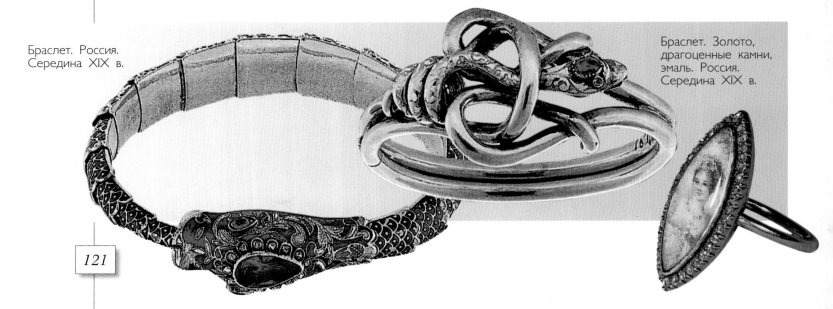

Браслет. Россия. Середина XIX в.

Браслет. Золото, драгоценные камни, эмаль. Россия. Середина XIX в.

там, растительным завиткам. Детали украшений в форме листьев и цветов часто сплошь покрывали мельчайшими камнями в корнеровой закрепке. Эта техника использовалась также для монтировки половинок жемчужин.

Совершенство закрепки драгоценных камней теперь стало особенно важным, недаром на международных выставках, ставших регулярными, особо выделяли заслуги фирм, которые экспонировали украшения с виртуозной закрепкой бриллиантов. В этом отношении показательны успехи фирмы «Болин», неоднократно отмечавшейся за «чистоту» закрепки камня. Фирма много работала по заказам двора.

Что касается ассортимента изделий, то в 1860—1870-е гг. модными становятся эгреты, броши-севинье роскошной и утонченной пластики, широкие парные браслеты. Украшения часто заказывали целыми гарнитурами — парюрами. В 1880-е гг. в моду входят перстни с крупными камнями-солитерами и броши в форме банта с крупной подвеской. Такие броши мы видим на портретах русских императриц и великих княжон.

И. С. Галкин. Александра Федоровна в придворном костюме со звездой и лентой ордена Св. Екатерины и знаками других орденов. 1895 г.

К. и А. Джулиано. Колье. Эмаль, золото, бриллианты. Лондон. 1877 г.

В. Е. Маковский. Портрет императрицы Марии Федоровны. Около 1912 г.

Э. Фонтеней. Колье с эмалями и бриллиантами. Фирма «Бушерон». 1860-е гг.

Шкатулка с аксессуарами. Фирма Аугусто Кастеллани. Италия. 1862 г.

и двумя более длинными колье, одно из которых по всей длине дополнено роскошными подвесками с огромными каплевидными жемчужинами.

ЖЕМЧУГ ДЛЯ ВЕЛИКИХ КНЯЖОН

По-немецки расчетливая и рачительная хозяйка, императрица Александра Федоровна заранее начала готовить достойные украшения для подраставших дочерей. Чтобы к совершеннолетию принцессы имели отличные жемчужные колье, она решила ежегодно покупать к дню рождения и именин каждой из них по три жемчужины. По воспоминаниям начальника канцелярии министра двора генерала А. А. Мосолова и ближайшей подруги императрицы А. Н. Вырубовой, Александре Федоровне посоветовали приобрести целые ожерелья, что обошлось бы дешевле. Но ее величество отказалась, заметив, что такая покупка будет слишком большим единовременным расходом. В конце концов с разрешения министра финансов распоряжение царицы обошли и приобрели четыре хорошо подобранных колье. От них в указанные дни императрице присылали по три жемчужины в особом футляре.

Великие княжны Мария, Татьяна, Анастасия, Ольга. 1914 г.

Украшения для торжественных случаев и важных дворцовых церемоний, выполнявшиеся из особо ценных материалов, на протяжении XIX — начала XX в. ориентировались на стиль двора и аристократии Франции, основоположницей которого выступала супруга Наполеона III императрица Евгения, признанная законодательница европейской моды. Непременным элементом украшения дамских туалетов для церемоний особой значимости были диадемы и колье — крупные, с четкой, симметрично выстроенной композицией. Их центром служили хорошо подобранные камни — бриллианты, изумруды, сапфиры, рубины. Работы русских и иностранных портретистов свидетельствуют об интересе представительниц царственной династии к жемчугу. На известном потрете кисти И. Крамского императрица Мария Федоровна облачена в драгоценный жемчужный убор, составленный тремя ожерельями — склаважем из трех нитей

Современники утверждали, что последняя русская императрица особенно любила украшения с жемчугом. В своеобразном каталоге ее личных украшений, составленном одной из придворных дам и снабженном цветными зарисовками вещей, встречается много украшений с жемчугом — серег, колец, брошей, фермуаров, браслетов.

Брошь-кулон. Фирма Фаберже. Начало XX в.

Александра Федоровна. Фотография. 1895 г.

A. Хольстрем. Брошь-кулон в честь 300-летия дома Романовых. Фирма Фаберже. Петербург. 1913 г.

Ф. Крюгер. Портрет императрицы Александры Федоровны. XIX в.

Национальный стиль

К середине XIX в. единую стилистическую линию в русском искусстве сменяет многообразие различных художественных направлений, которые основывались на широком спектре эстетических принципов. Все более очевидными становятся поиски, направленные на создание национального русского стиля, идет интенсивный процесс освоения художественных традиций древнерусского искусства. Он ощутим даже в оформлении нового типа туалета придворных дам, форменные платья которых приобрели элементы кроя древнерусских одежд с длинными распашными рукавами. Головы фрейлин украсили уборы, напоминавшие старинные девичьи кокошники.

Мастера ведущих ювелирных фирм и фабрик России охотно обращались к мотивам древнерусского и народного искусства. При создании так называемой подносной продукции, использовавшейся для свадебных и юбилейных подарков, часто обращались к формам древнерус-

Среди изделий 1890—1900-х гг. появляются модные в эпоху модерна сотуары — нагрудные украшения, завершающиеся кисточкой из низаных мелких жемчужин. Очень любила императрица роскошное, в семь рядов, жемчужное ожерелье, выполненное фирмой Карла Фаберже и подаренное ей в день бракосочетания с Николаем II. По моде модерна последние нити ожерелья были длинными и опускались ниже талии; иногда императрица поднимала их, закалывая на груди брошью или цветочным букетом.

На протяжении всего XIX в., особенно его второй половины, жемчужные ожерелья непременно входили в число украшений дам, семья которых имела соответствующий достаток. Те, у кого денег на природный жемчуг не было, довольствовались бургильонами — стеклянными шариками, покрытыми серебристым веществом, снятым с чешуи рыбы-уклейки.

И. К. Макаров. Великая княгиня Мария Александровна. Середина XIX в.

ской посуды. Эти изделия украшали эмалью, чернением, гравировкой, кружевом скани. На них можно было увидеть изображения былинных и сказочных героев или узоры, навеянные мотивами деревянной резьбы и росписи.

Среди создателей произведений художественного серебра выделяется имя владельца старейшей русской ювелирной фирмы Ивана Петровича Сазикова. Большую часть продукции ее составляла серебряная утварь, оформленная в духе эклектики. Но настоящую славу фирме принесла серебряная скульптура. В Эрмитаже хранится монументальная композиция «Дмитрий Донской на Куликовом поле», за которую И. П. Сазиков удостоился золотой медали на Всемирной лондонской выставке 1851 г.

Своеобразным программным памятником русского стиля в ювелирном искусстве XIX в. специалисты называют серебряную скульптуру «Витязь в дозоре». Она входила в состав так называемого Лондонского сервиза Зимнего дворца. Скульптура была выполнена в 1852 г. в качестве украшения центра пиршественного стола и принадлежала великому князю Александру Николаевичу, будущему императору Александру II. Композиция изображает спешившегося с коня русского витязя. Она прекрасно моделирована, с необычайной тщательностью переданы детали доспеха воина. Интересно, что

в работе над этой скульптурой И. Сазикову помогал зачинатель национально-исторического направления в русском искусстве XIX в., знаток древнерусского искусства и превосходный художник Ф. Солнцев.

Мастера второй половины XIX века

Растущее мастерство русских ювелиров и страсть к виртуозному исполнению вещей проявились в декоре изделий, выполненных в различных приемах художественной обработки металлов. Мастера второй половины XIX в. успешно возрождают старинные технические приемы и вырабатывают новые. Так, московская фабрика Василия Семенова возродила почти забытое к тому времени искусство черни. В этой технике затем успешно работали мастера одной из крупнейших русских фирм П. Овчинникова. Граверы П. Овчинникова и И. Хлебникова, доведя мастер-

ство до совершенства, стали родоначальниками нового вида декорировки изделий из золота и серебра. Виртуозно владея резцом, они выполняли фактуровку поверхности изделий, имитируя практически любой материал — дерево, мех, кружево, ткань. Выполненные ими из серебра «льняные» полотенца и салфетки с узорчатыми краями и бахромой покрывали серебряные сухарницы, блюда для трюфелей, подносы для каравая. Такие диковинки с удовольствием приобретали и монаршие особы. Пресса всего мира сообщала о том, как на Всемирной выставке в Вене (1873 г.) при посещении «Русской деревни» два императора — российский Александр II и австрийский Франц

Сиреневая комната Александры Федоровны в Александровском дворце. Царское Село.

Среди многочисленных мелочей, украшавших покои последней императрицы в Зимнем и Александровском дворцах, разнообразные сувениры, рамки для фотографий и настольные часы буквально заполняют застекленные шкафчики, горки, деревянные панели, опоясывающие кабинет.

Серебряная сухарница. Фирма П. А. Овчинникова. 1881 г.

Шкатулка в русском стиле, выполненная к 300-летию дома Романовых. Эрмитаж.

Иосиф — от души посмеялись шутке, которой их встретили при входе. По русскому обычаю красавица в национальном костюме с поклоном поднесла венценосным гостям каравай с поджаристой корочкой и соль. Каравай лежал

Работа с эмалью приобретает в последней трети XIX в. особое значение. В декорировке изделий сувенирной группы и ювелирных украшений мастера часто обращаются

Записная книжка. Фирма Фаберже. Начало XX в.

Пасхальное яйцо «Коронационное» с копией императорской кареты. Ювелиры М. Перхин, Г. Штейн. Фирма Фаберже. 1897 г.

Пасхальное яйцо «Корзинка цветов». Фирма Фаберже. 1901 г.

на блюде, покрытом расшитым льняным рушником. Но на каравае сидела большая муха, и государь протянул руку, чтобы смахнуть её. Каково же было удивление присутствующих: и муха, и каравай, и рушник оказались серебряными, покрытыми тончайшей гравировкой. Диковинные вещи, выполненные в этой, как потом говорили, «салфеточной» манере, оба императора получили в подарок, а великой княжне, сопровождавшей отца, досталась серебряная кружечка, накрытая узорчатой серебряной же салфеткой.

к старинной технике эмали по сканному узору и резьбе, расписной эмали. Фирма И. П. Хлебникова восстанавливает забытую много веков назад перегородчатую эмаль. В украшениях из золота мастера обеих столиц используют эмалевые лаки. Расширяется сама палитра эмалей — у мастеров фирмы К. Фаберже она насчитывала более 140 цветов и оттенков.

К концу столетия ведущие ювелирные фирмы страны освоили совершенно новые виды эмалевых работ — эмаль по гильошированному фону (эмали гильоше) и витражную, или оконную, эмаль.

В сложнейшей технике витражной (оконной) эмали ведущий мастер фирмы Фаберже М. Е. Перхин в 1902 г. выполнил ажурное яйцо, словно сотканное из переплетающихся листьев клевера, подаренное Николаем II императрице Александре Федоровне.
Нарядное, украшенное бриллиантами, рубинами и прозрачной светло-зеленой эмалью, полое изнутри, оно производит неожиданный эффект, близкий к витражу, если рассматривать его на свет.

Пасхальное яйцо «Клевер». Ювелир М. Перхин. Фирма Фаберже. Подарок Николая II Александре Федоровне. 1902 г.

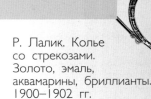

Ожерелье «Павлин». Опалы, аметисты, сапфиры, гранаты, рубины, изумруды. Фирма «Тиффани». 1905 г.

Тонкий узор гильошировки (машинной резьбы) получен благодаря использованию резца с алмазным наконечником; узор мягко просвечивает сквозь слой прозрачной или полупрозрачной эмали, наложенной на поверхность изделия. В этой технике ювелиры исполняли самые разнообразные вещи — от запонок, футляров для визитных карточек и портсигаров до роскошных ваз.

Охотно к эмали по гильошированному фону обращались мастера фирмы Фаберже. В этой технике выполнены и некоторые из знаменитых пасхальных яиц царской серии, в частности «Яйцо с букетом лилий» (1899 г.), хранящееся в Оружейной палате Московского Кремля, и яйцо «В память о коронации» (1897 г.) из собрания В. Вексельберга.

Хрупкие, сложные в изготовлении витражные эмали требовали чрезвычайной точности и аккуратности. Вероятно, именно поэтому их исполнение было доступно только лучшим мастерам. Все эти очаровательные безделицы буквально заполняли жилые апартаменты членов царской семьи.

Р. Лалик. Колье со стрекозами. Золото, эмаль, аквамарины, бриллианты. 1900—1902 гг.

На богатый русский рынок предпринимали попытки проникнуть и признанные парижские фирмы. Свои работы на выставках в Петербурге демонстрировали Жозеф Шоме и Рене Лалик, но постоянно обосноваться в России у них не получилось. В какой-то мере завоевать русский рынок удалось

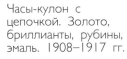

Часы-кулон с цепочкой. Золото, бриллианты, рубины, эмаль. 1908—1917 гг.

Шкатулка с портретом Николая II. Фирма Фаберже. 1916 г.

ДРАГОЦЕННОСТИ ИЗ ДОРОЖНОЙ ШКАТУЛКИ

Мать Николая II, императрица Мария Федоровна, как утверждали современники, обладала безупречным вкусом. Её личная коллекция украшений содержала превосходные вещи работы русских и зарубежных мастеров, купленные ею самой либо полученные в подарок. Эти ценности она хранила в своей резиденции — Аничковом дворце в Петербурге. Отправляясь осенью 1916 г. в Киев, императрица забрала с собой шкатулку с драгоценностями. В ней, судя по воспоминаниям ее дочери, великой княгини Ольги Александровны, в дальнейшем ставшей доверенной сиделкой вдовствующей императрицы, были диадема, ожерелья, склаважи, броши, браслеты огромной ценности, выполненные из бриллиантов и жемчуга и дополненные крупными сапфирами и изумрудами, и многое другое.

В апреле 1917 г. Мария Федоровна переехала в Крым, в царское имение Ай-Тодор близ Ливадии, где и жила вплоть до 12 апреля 1919 г., когда на крейсере «Мальборо» навсегда покинула Россию. Затем, погостив в Лондоне у своей сестры, английской королевы, вернулась на родину — в Данию. Сначала она разместилась во дворце Амалиенборг, где прошли ее детские годы, а затем перебралась на виллу Видёре, купленную когда-то ее мужем, императором Александром III.

К. Маковский. Портрет императрицы Марии Федоровны. XIX в.

Рамка с портретом императрицы Марии Федоровны. Ювелир М. Перхин. До 1896 г.

В последние месяцы жизни Мария Федоровна просила дочь ставить шкатулку с драгоценностями таким образом, чтобы она могла постоянно видеть ее, оставаясь в постели. Императрица никогда не считала денег и легко расставалась с ними. Она занималась благотворительностью и полагала необходимым помогать всем русским, оказавшимся в эмиграции. Но, несмотря на то что в изгнании ее средства были ограниченны, при ней нельзя было даже речи завести о продаже вещей из знаменитой шкатулки.

После кончины Марии Федоровны в 1928 г. по завещанию ценности перешли дочерям. По инициативе великой княгини Ксении Александровны их перевезли из Копенгагена в Лондон. 22 мая 1929 г. в Букингемском дворце в присутствии Ксении Александровны, королевы Мэй, супруги Георга V, и управляющего королевскими финансами сэра Ф. Понсоби шкатулку императрицы открыли. Впоследствии Ф. Понсоби записал свои впечатления: «Достали низку чудесного жемчуга… самая крупная жемчужина была размером с вишню. По кучкам разложили изумруды, крупные рубины и великолепные сапфиры. Более я ничего не видел, поскольку считал мое присутствие неуместным»[1]. Сотрудники ювелирной фирмы «Хэннел и сыновья» произвели оценку содержимого шкатулки. Но ни списка ценностей, ни тем более документа об их оценке не сохранилось. Считается, что большую часть украшений приобрели члены английского королевского дома и ювелирная компания «Хэннел и сыновья».

Пасхальное яйцо «Екатерина Великая» («Розовые камеи»). Фирма Фаберже. Подарок Николая II Марии Федоровне на Пасху 1914 г.

Эскизы украшений из альбома с дизайнами фирмы Фаберже.

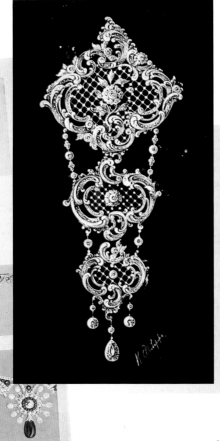

камнерезные и ювелирные изделия российских мастеров, а затем выставлял их на продажу в своем салоне на рю де ла Пэ. Однако конкурировать с Фаберже и Болином в России Картье оказалось не по силам.

Формирование эрмитажной коллекции рисунков ювелирных изделий связано с существовавшим в конце XIX — начале XX в. обычаем, введенным Кабинетом Его Императорского Величества: перед тем как сделать крупный дорогостоящий заказ, Кабинет объявлял конкурс. Фирмы, намеревавшиеся принять в нем участие, должны были представить рисунок изделия, указав материал, из которого оно будет выполнено, сроки изготовления и примерную стоимость. Тем, кто не прошел отбор, рисунки обычно не возвращали. Из них в дворцовом ведомстве и сформировалась коллекция рисованных работ, исполненных мастерами фирм Карла Фаберже, Фридриха Кехли, Леопольда Зефтигена, Павла Овчинникова и др. Более ста рисунков в этой коллекции принадлежит фирме «К. Э. Болин».

только Фредерику Бушерону, который при поддержке великого князя Константина Константиновича в 1903 г. открыл салон на Кузнецком мосту в Москве, а спустя восемь лет — и в Петербурге. Неоднократно приезжали в Россию братья Альфред и Луи Картье. В 1909 г. под патронажем великой княжны Марии Павловны — владелицы одного из самых крупных собраний драгоценностей — была устроена выставка работ их фирмы. Знатные дамы во главе с вдовствующей императрицей Марией Федоровной приобрели там множество украшений. И сам Картье покупал в России

Брошь-подвеска. Золото, эмаль, бриллиант. Фирма «Бушерон». 1880 г.

К сожалению, люди и время безжалостны — многие из работ ювелиров прошлого утрачены. Большинство украшений с крупными камнями были демонтированы. Новые поколения владельцев выламывали камни из старинных изделий для изготовления новомодных вещей. И сегодня зачастую мы можем судить о шедеврах прошлого только по сохранившимся рисункам и фотографиям. В этом в некоторой степени помогает коллекция рисунков ювелирных изделий, хранящаяся в Государственном Эрмитаже. Значительный интерес для изучения лучших образцов ювелирного дизайна конца XIX — начала XX в. представляет альбом рисунков художников фирмы Фаберже, хранящийся в фондах Музеев Московского Кремля. Он включает 1100 эскизов, в том числе и тех изделий, которые ныне украшают музеи мира.

Фирма Фаберже

Если на улице любого города мира попросить обычного прохожего назвать самого знаменитого ювелира, то, без сомнения, большинство ответит — Фаберже. Петер Карл Фаберже, знаменитый петербургский ювелир и блестящий организатор производства, снискал славу при королевских и императорских дворах Европы и Азии. В 1870 г. Карл возглавляет фирму, и на протяжении 20 лет он, как человек хорошо образованный и коммуникабельный, собирает круг единомышленников из числа владельцев ювелирных мастерских Петербурга. Так формируется фирма, в дальнейшем основанная

Пасхальное яйцо «Ренессанс». Ювелир М. Перхин. 1894 г.

Настольное украшение «Попугаи». Фирма Фаберже.

на сочетании двух направлений работы: изготовлении коммерческой продукции, для чего позже строится фабрика в Москве, и создании оригинальных авторских произведений из золота и серебра с применением драгоценных камней, жемчуга и самоцветов. Эти произведения фирмы выходят из специализированных мастерских, во главе которых стояли такие замечательные ювелиры, как А. Хольминг, М. Перхин, Г. Вигстрем, Э. Колин, А. Хольстрем, Ю. Раппопорт и др. Рядом с клеймом фирмы Фаберже они ставили на изделиях свое авторское клеймо. Петер Карл и его брат осуществляли руководство производством, направляли творческие и технические поиски специалистов, вели

Карл Фаберже. 1915 г.

Торговые залы магазина Фаберже в Санкт-Петербурге.

Карл Фаберже родился в 1846 г. Его отец, Густав Людвиг, приехал в Петербург из небольшого прибалтийского городка Пернау и основал собственную мастерскую. Прошло несколько лет, и, закончив образование в России, Карл продолжил его в Европе — Германии, Италии и Франции, где учился у лучших ювелиров, изучил искусство и коммерческое дело. Отец включил Карла в семейное дело, а в 24 года юноша по настоянию отца возглавил фирму. Спустя восемь лет помощником Карла стал его младший брат Агафон, обладавший отличными художественными способностями и вкусом.

коммерческие дела фирмы и обеспечивали работу с клиентами и кадрами.

На рубеже XIX и XX вв. фирма открыла отделения в Москве, Киеве и Одессе. Формируется и большое Лондонское отделение, неизменно возглавляемое соратником и другом семьи Аланом Бове, известным своими воспоминаниями о фирме. К началу XX в. общее число сотрудников предприятия приближалось к шести сотням.

Каждая мастерская и отделение фирмы Фаберже работали с определенными материалами и создавали свои виды продукции. Так, московское отделение выпускало предметы сервировки стола и серебряные подарочные, или, как их тогда называли, «подносные», изделия в стиле русского узорочья XVII в. Ювелиры петербургских мастерских ориентиро-

вались на художественные традиции европейского искусства. Из петербургской мастерской Михаила Перхина, которую после его смерти возглавил Генрих Вигстрем, выходили виртуозные по технике исполнения золотые вещи, украшенные гравировкой, эмалью и драгоценными камнями. Именно здесь были созданы знаменитые пасхальные яйца с сувенирами и object arts — хрустальные вазоч-

Яйцо-часы с синей змеей. Фирма Фаберже. 1895 г.

Веер. Фирма Фаберже. 1908 г.

Ручка зонтика. Фирма Фаберже.

Мастера фирмы придавали оригинальные формы и совершенную отделку в том числе вещам утилитарного характера — посуде, портсигарам, футлярам для зажигалок, письменным приборам и даже электрическим звонкам.

Среди постоянных заказчиков фирмы Фаберже — члены российского императорского дома; король Англии Эдуард VII; монархи Германии, Греции, Швеции, Непала, Сиама (Таиланда); аристократия практически всех стран Европы и Азии; банкиры и крупные предприниматели; видные политики и известные деятели искусств.

В России постоянными покупателями изделий Фаберже были премьер-министр П. А. Столыпин, дочь известного золотопромышленника Варвара Базанова-Кельх и прима императорского балета Матильда Кшесинская.

Настольное украшение «Васильки с колосками овса». Фирма Фаберже. Эрмитаж.

Брошь-кулон с цепочкой. Мастер Ю. Раппопорт. Золото, алмазы. Фирма Фаберже. Москва. 1908 г.

ки, будто наполненные водой, с цветами и веточками ягод, которые выполнялись из золота, расцвеченного тончайшими эмалями. Юлий Раппопорт руководил мастерской, где изготавливали изделия из серебра, в том числе литые с гравировкой столовые приборы и украшения интерьеров. Эти вещи охотно покупали для императорского стола.

В руках искусных мастеров настольный звонок превращался то в обезьянку, то в огромного лохматого медведя. В покоях императора Николая II стоял большой, 32 см высотой, серебряный кувшин для крюшона, отлитый в виде забавной толстой свинки с жесткой щетиной и задорным пятачком.

Приобретя к концу столетия общемировую известность, фирма предлагала работы как «серийного» характера, предназначенные для широкого круга покупателей, так и уникальные авторские произведения по заказам отечественных и зарубежных клиентов.

Рамка с портретом императрицы Александры Фёдоровны. Фирма Фаберже.

Овальная коробочка с монограммой Николая II. Фирма Фаберже.

Портсигар. Фирма Фаберже. 1908 г.

Пасхальное яйцо «Бонбоньерка». Мастер М. Перхин. 1899 г.

Пасхальное яйцо «Гатчинский дворец». Ювелир М. Перхин. 1901 г.

Расписное яйцо, издревле олицетворявшее весеннее возрождение природы, стало у христианских народов радостным символом Воскресения Спасителя и искупления грехов человечества. На Руси в день Пасхи люди обменивались крашеными яйцами, дарили друг другу деревянные, фарфоровые и стеклянные сувениры в форме яйца — писанки. С XIX в. изготовление писанок стало своеобразной отраслью декоративного искусства: появились несессеры, подвески, вазы, часы, игрушки в виде яиц. Дорогими и изысканными подарками считаются яйца, выполненные ювелирами из золота, серебра, самоцветов. Вершины пасхальная тема достигла в работах выдающихся мастеров фирмы Фаберже.

Одна из самых знаменитых страниц в творчестве Фаберже — пасхальные сувениры-яйца. Первое золотое яйцо было изготовлено фирмой Фаберже в 1885 г. по заказу императора Александра III для его супруги Марии Федоровны, видимо, по случаю 20-летия их помолвки. Оно — самое простое в императорской серии: золотое, покрытое белой опаковой (непрозрачной) эмалью с сюрпризом внутри — курочкой. Яйцо так понравилось государыне, что заказ пасхальных сувениров на фирме вошел в традицию.

В царствование Николая II у Фаберже ежегодно готовили уже по два пасхальных подарка — для вдовствующей императрицы Марии Федоровны и для жены Николая II — Александры Федоровны. Каждый год в четверг на Страстной неделе глава фирмы передавал высочайшему заказчику пасхальные сувениры, неизменно восхищавшие двор виртуозностью отделки и новизной сюжета.

Пасхальное яйцо «Память Азова». Ювелир М. Перхин. 1891 г.

Яйцо, поднесенное императрице Марии Федоровне на Пасху 1891 г., ныне хранится в Оружейной палате. Созданное в мастерской выдающегося ювелира М. Перхина, оно выполнено из темно-зеленого уральского гелиотропа и одето в золотую оправу. Внутри яйца помещался сувенир, связанный с важным для царской семьи событием — почти 10-месячным путешествием на Восток наследника престола Николая Александровича и его младшего брата Георгия Александровича. Морскую часть пути они преодолели на крейсере «Память Азова». Миниатюрная его копия и находилась в яйце. Ювелиры выполнили ее из золота, серебра и платины и поместили на пластинку из аквамарина густого цвета. Пластинка снабжена золотой петлей, с помощью которой ее можно вытянуть из яйца. Темно-зеленый цвет гелиотропа олицетворял морские глубины, а золотые чеканные завитки оправы — волны. Виртуозно переданы все детали оснастки крейсера: его мачты, орудия и пушки. Выбор камей — темно-зеленого гелиотропа с кроваво-бурыми пятнами (яйцо) и алого рубина на замочке — стал своего рода мистическим.

Императрице-матери сувенир напоминал о драматических событиях, связанных с этим путешествием, — обострении болезни легких у великого князя Георгия и нападении в городе Оцу на цесаревича Николая, которому фанатик-самурай нанес удар мечом по голове. Хотя яйцо было подарено императрице до этих происшествий, по-видимому, оно никогда не было в списке ее любимых.

В день Пасхи подарки получали и дети, и родственники. Не забывали и слуг — горничных, камеристок, поваров, истопников. Для каждого покупа-

Пасхальное яйцо «Ландыши». Ювелир М. Перхин. 1898 г. Сюрпризом являются выдвигающиеся вверх три медальона с портретами императора и двух его старших дочерей Ольги и Татьяны.

Пасхальное яйцо с решеткой и розами. Ювелир Г. Вигстрем. Фирма Фаберже. 1907 г.

Пасхальное яйцо. Эрмитаж.

Всего фирмой было выполнено 50 яиц. Кроме «императорской серии» это число включает семь яиц, предназначенных для Варвары Базановой-Кельх, одно — для нефтепромышленника Эммануила Нобеля, и еще одно — для Консуэло Вандербильт (герцогини Мальборо).

В каждом из яиц «императорской серии» таится сувенир. Карл Фаберже видел в этом главную сложность заказа: ведь помимо красоты и тонкости исполнения сувениры должны были радовать новизной и, как правило, соотноситься с историей царствующего дома Романовых или какими-то знаменательными моментами жизни венценосной семьи. Так появились яйцо «Коронационное» (1897 г.) с миниатюрной копией кареты, в которой в 1896 г. въезжала в Кремль на коронацию императорская чета; яйцо с изображением царей из династии Романовых, посвященное 300-летию царствующей династии (1913 г.).

ли сувениры — часто подвески в виде пасхального яйца. Готовясь к празднику, Александра Федоровна заранее зарисовывала сувениры в своей памятной тетрадке и распределяла их поименно.

Пасхальное яйцо «300-летие дома Романовых» с портретами представителей царствующей династии. Фирма Фаберже. 1913 г. Внутри помещен глобус с отмеченной территорией Российской империи.

Пасхальное яйцо «Березовое». Фирма Фаберже. 1901 г.

Портсигар. Фирма Фаберже. Москва. 1908–1917 гг.

Вексельберг, приобретший в 2004 г. коллекцию американского медиамагната Малколма Форбса.

Начиная с 1935 г. в крупнейших художественных центрах мира проводятся представительные выставки произведений искусства, созданных фирмой Фаберже. Они знакомят публику с произведениями, собранными в государственных и частных коллекциях стран Европы, Америки и Азии.

Имя Фаберже окружено ореолом славы и признания. Высокий стиль произведений фирмы, созданных ее ведущими ювелирами, объединил в себе лучшие достижения мирового ювелирного искусства прошлого и в полной мере воплотил неповторимые черты искусства русского Серебряного века.

В настоящее время превосходными коллекциями работ Фаберже обладают Государственные музеи Московского Кремля, Государственный Эрмитаж, королева Елизавета II, король Таиланда, Музей изящных искусств штата Виргиния (США), Музей Виктории и Альберта (Лондон), Кливлендский музей искусств, собрание A la Vieille Russie (Нью-Йорк) и российский предприниматель Виктор

Сигаретница из красного и желтого золота. Подарок императрицы Марии Федоровны королю Англии Эдуарду VII с монограммой Эдуарда и его жены Александры. Фирма Фаберже. 1903 г.

Ручка зонтика. Фирма Фаберже.

Произведения Фаберже считаются эталоном мастерства, с которым сравнивают свои работы профессиональные ювелиры всего мира. Недаром только двум ювелирам — Карлу Фаберже и Бенвенуто Челлини — благодарное человечество возвело скульптурные памятники, которые украшают их родные города — Петербург и Флоренцию.

«Яйцо Родшильда». Мастер М. Перхин. Фирма Фаберже. Внутри автоматический петушок из драгоценных камней. 1902 г.

Шкатулка, принадлежавшая княгине Ксении Александровне. Фирма Фаберже.

Часы-яйцо. Мастер М. Перхин. Фирма Фаберже. 1907 г.

Брошь в виде стрекозы. Фирма Фаберже. Конец XIX – начало XX в.

Брошь в виде двух сплетенных змей. Фирма «К. Э. Болин». Санкт-Петербург. Конец XIX в.

Фамильный герб, полученный Э. и Г. Болиными при пожаловании дворянского достоинства в Российской империи.

Фирма Болинов

Фирма «Болин» — старейшая из основанных в России. Когда отец Карла Фаберже только начинал дело в Петербурге, компания Болина уже выполняла заказы императорского двора, успешно участвовала во Всемирной выставке в Лондоне (1851 г.), где, как отмечено в официальном отчете, была удостоена золотой медали «за бриллиантовые украшения, решительно превосходившие красотой оправы все, что было представлено на выставке».

История фирмы «Болин» восходит к 1790-м гг., когда выходец из Саксонии бриллиантовых дел мастер Андрей Ремплер стал оценщиком драгоценностей Кабинета Его Императорского Величества и получил почетное звание придворного ювелира. После смерти А. Ремплера дело возглавил его зять — ювелир Г. Э. Ян. В 1831 г. он взял в компаньоны 26-летнего шведа Карла Эд-

варда Болина, который вскоре женился на младшей дочери Андрея Ремплера. Спустя пять лет в Петербург перебрался его младший брат Хенрик (Андрей) Конрад. В 1852 г. в компании с англичанином Дж. Шанксом он организовал в Москве на Кузнецком Мосту фирму «Шанкс и Болин. Английский магазин» (с 1888 г. — «К. Э. Болин»). Отделения фирмы специализировались в разных областях: петербуржцы изготавливали заказные украшения для императорского двора и аристократии, а москвичи в основном художественное серебро. Ювелирный дом Болина стал олицетворением представлений о роскоши, непревзойденном вкусе и надежности.

Петербургские мастерские и магазин фирмы размещались на Большой Морской — улице ювелиров, неподалеку от знаменитого дома Фаберже. Поначалу здесь трудились всего 15 рабочих, подростками привезенных из провинции и обученных мастерами фирмы. В отличие от Фаберже, имевшего отделения в Москве, Петербурге, Киеве и Одессе, где создавались свои, нетипичные виды продукции широкого ассортимента, фирма «К. Э. Болин» специализировалась на элитарных украшениях,

Тиара, изготовленная Болинами в 1874 г. Подарок Александра II дочери Марии Александровне в честь ее бракосочетания с герцогом Эдинбургским.

Гербъ Дворянъ

Эдуарда и Густава Болиныхъ

Описаніе герба

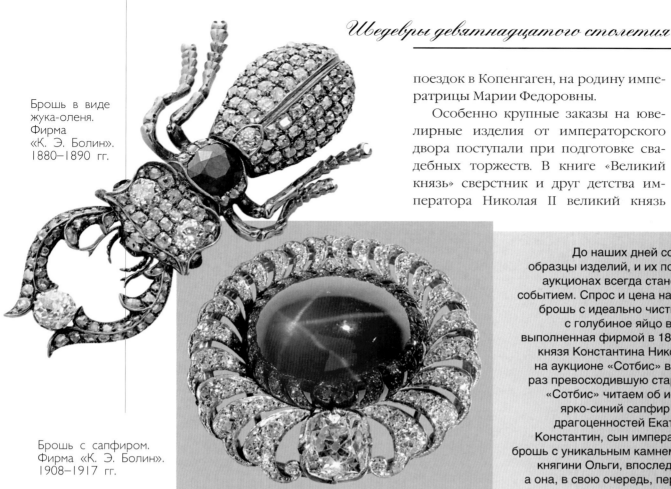

Брошь в виде жука-оленя. Фирма «К. Э. Болин». 1880—1890 гг.

Брошь с сапфиром. Фирма «К. Э. Болин». 1908—1917 гг.

поездок в Копенгаген, на родину императрицы Марии Федоровны.

Особенно крупные заказы на ювелирные изделия от императорского двора поступали при подготовке свадебных торжеств. В книге «Великий князь» сверстник и друг детства императора Николая II великий князь

До наших дней сохранились лишь редкие образцы изделий, и их появление на крупнейших аукционах всегда становится исключительным событием. Спрос и цена на них баснословные. Так, брошь с идеально чистым сапфиром размером с голубиное яйцо в бриллиантовой оправе, выполненная фирмой в 1845 г. по заказу великого князя Константина Николаевича, была продана на аукционе «Сотбис» в 1966 г. за сумму, в пять раз превосходившую стартовую цену. В каталоге «Сотбис» читаем об истории вещи. Огромный ярко-синий сапфир некогда значился среди драгоценностей Екатерины II. Великий князь Константин, сын императора Николая I, заказал брошь с уникальным камнем для дочери — великой княгини Ольги, впоследствии королевы Греции, а она, в свою очередь, передала брошь дочери — румынской королеве Елене.

в которых главная роль отводилась крупным, высочайшего качества драгоценным камням. Фирма не стремилась к широкому охвату рынка — ни отечественного, ни зарубежного.

Судя по документам Министерства двора и Кабинета Его Императорского Величества, с середины XIX до начала XX в. Болины выполняли также заказы на изделия, предназначенные для официальных подарков. Среди так называемых кабинетских вещей чаще всего упоминаются богато декорированные часы, табакерки, позже — папиросницы и портсигары, в центре которых неизменно располагался двуглавый геральдический орел, осыпанный драгоценными камнями. Последние Романовы желали иметь такие вещи для разного рода пожалований во время ежегодных

Александр Михайлович пишет, что к свадьбе с сестрой императора, великой княжной Ксенией, он получил от царской семьи исключительно ценные дары, выполненные лучшим петербургским ювелиром Болином: ожерелье из пяти рядов жемчуга, а также ожерелья и диадемы из алмазов, рубинов и изумрудов, браслеты и броши с драгоценными камнями.

Брошь с мушкой. Фирма «К. Э. Болин». 1880-е гг.

Брошь «Майский жук». Фирма «К. Э. Болин». Начало XX в.

Сыновья основателя фирмы, работавшие в Петербурге, Эдуард и Густав успешно развивали дело отца. Они занимали особое положение при дворе: их отмечали орденами, они были возведены в потомственное дворянское достоинство. Последняя императрица нередко приглашала братьев на семейные праздники; государыня стала даже крестной матерью одного из внуков Эдуарда Болина.

Стилистику фирмы демонстрируют сохранившиеся фотографии диадемы и ожерелья с бриллиантами и колумбийскими изумрудами, заказанные в 1900 г. императрицей Александрой Федоровной. Их композицию отличает четкое классическое построение, все детали украшений прекрасно прорисованы,

Шкатулка. Фирма «К. Э. Болин». 1913 г. Изготовлена к 300-летию дома Романовых.

а техническое воплощение замысла отмечено виртуозностью. В диадеме блистают 880 бриллиантов и несколько густо окрашенных изумрудов. Масса центрального изумруда — 23 карата. К сожалению, обе вещи, описанные Агафоном Фаберже среди сокровищ Алмазного фонда, были в 1930-е гг. проданы и, где они сейчас, неизвестно. Драгоценности, выполненные петербургским домом Болинов, испытали вместе со своими владельцами все перипетии событий, последовавших за октябрем 1917 г., и поэтому в музейных собраниях они очень редки.

Московское отделение фирмы «Болин» в 1888 г. возглавил старший сын Хенрика Конрада — Вильгельм, которого клиенты звали Вильгельмом Андреевичем. Став партнером своих петербургских кузенов, он открыл магазин на Кузнецком Мосту, 12. А в 1912 г. московский филиал фирмы получил название «В. А. Болин».

Вильгельм Болин, активный, отличавшийся широтой взглядов и интересов, стал осваивать богатый рынок юга империи. К отделениям в Лондоне, Париже и Берлине он добавил магазин сезонной торговли на немецком курорте Бад-Хоэнбург, куда ежегодно выезжала на отдых семья Николая II. С началом Первой мировой войны Болин перевез

Тиара. Фирма «К. Э. Болин». 1890 г. Изготовлена по заказу великого князя Михаила Михайловича для его супруги Софи де Меренберг, графини Торби.

Брошь-подвеска из платины с бриллиантами. Фирма «В. А. Болин». Стокгольм. 1920 г.

В 1996 г. в Стокгольме в шведской Королевской сокровищнице Лив-русткаммарен открылась выставка, посвященная 200-летнему юбилею фирмы «Болин». А спустя пять лет более 400 произведений мастеров фирмы, в том числе принадлежавшие августейшим особам Европы, снова демонстрировались публике.

Брошь-подвеска. Фирма «В. А. Болин». Стокгольм. 1915 г.

W. A. Bolin
Hovjuvelerare
Stockholm – Moskva
öppnar sina salonger
Kungsträdgårdsgatan 10
den 15de Sept.1916

ценности из Германии в Швецию и в сентябре 1916 г. открыл в центре Стокгольма роскошный ювелирный магазин. А чуть раньше развернули свою деятельность стокгольмские мастерские фирмы.

Внук В. А. Болина Ханс вспоминал, что, перебравшись в Швецию, дед испытал что-то вроде профессионального шока. Слишком велика оказалась разница между великолепием русского императорского двора и скромными масштабами Швеции, где каждое нововведение воспринималось с подозрением. «Я думаю, дед никогда не был способен адаптироваться к условиям Швеции и остался для шведского общества чужестранцем. Но для ювелирного искусства самой Швеции его приезд имел огромное значение. Он воспитал целое поколение ювелиров и золотых дел мастеров».

Эскиз гарнитура, состоящего из тиары, серег и колье. Фирма «К. Э. Болин». 1870-е гг.

Жемчужиной выставки стала украшенная бриллиантами и рубинами диадема маркизы Милфорд Хейвен. Эту диадему заказал у Болинов великий князь Михаил Михайлович, внук Николая I, в качестве подарка невесте — графине С. Н. Меренберг (внучке А. С. Пушкина).

В настоящее время фирму возглавляют прямые потомки ее основателей, служивших семи императорам России и двум королям Швеции.

Первое рекламное объявление придворного ювелира В. А. Болина об открытии нового магазина в Стокгольме в 1916 г.

Примечания

«Венчания и коронации русских царей и императоров»

1 Бобровницкая И. А. Регалии Российских государей. М., 2004. С. 4.
2 Там же. С. 6.
3 Священное тело короля: Ритуалы и мифология власти. М., 2006. С. 423, 424.
4 Бобровницкая И. А. Указ. соч. С. 6.
5 Там же. С. 7.
6 Венчание Русских Государей на царство. СПб., 1883.
7 Бобровницкая И. А. Указ. соч. С. 9, 12.
8 Ульяновский В. Равный царю Соломону//Родина. 2005. № 11.
9 Соколова И. М. Трон царя Ивана Грозного в Успенском соборе. М., 2006.
10 Под скипетром Романовых. СПб., 1912. С. 30.
11 Бобровницкая И. А. Указ. соч. С. 9.
12 Там же. С. 11.
13 Там же. С. 21, 23.
14 Государственная Оружейная палата. М., 1990. С. 364.
15 Бобровницкая И. А. Указ. соч. С. 20.
16 Сокровища Оружейной палаты. Посольские дары. М., 1996. С. 210.
17 Боханов А. Н. Самодержавие. М., 2002. С. 245.
18 Хорошкевич А. Л. Символы Российской государственности. М., 1993. С. 47.
19 Комментарии к «Описанию коронования Екатерины Алексеевны». 1883 г.
20 Польза. Честь. Слава. Награды России. М., 2004. С. 32, 166.
21 Боханов А. Н. Указ. соч. С. 240, 262.
22 Сказание о Венчании русских царей и императоров. М., 1896. С. 62.
23 Полынина И. Ф. Сокровища Алмазного фонда России. Москва, 2012. С. 141—145.

«Где и как хранятся государственные регалии»

1 Мартынова М. В. Регалии царя Михаила Федоровича. М., 2003. С. 1.
2 Мартынова М. В. Указ. соч. С. 9.
3 Храповицкий А. Дневник. СПб., 1874. С. 67.
4 Дашкова Е. Записки. М.,1985. С. 174.
5 Зимин И. Царские деньги. Доходы и расходы Дома Романовых. Повседневная жизнь Российского императорского двора. М., 2011.
6 Кшесинская М. Воспоминания. Смоленск, 1998. С. 109.
7 Зимин И. Указ. соч. С. 156.
8 Рассказы очевидцев о пожаре 1837 года, собранные бароном М. Корфом.
9 Московский Кремль. М., 1990. С. 257.
10 Зимин И. Указ. соч.
11 Тройницкий С. Н. Указ. соч. С. 21.
12 Тройницкий С. Н. Алмазный фонд СССР. Вып. II. 1925. С. 14.
13 Ферсман А. Е. Очерки по истории камня. Т. II. М.: АН СССР, 1961. С. 72.

«Бриллиантовый век»

1 Каган Ю. Западноевропейские камеи в собрании Эрмитажа. Л., 1973. С. 30.
2 Кузнецова Л. К. Петербургские ювелиры. Век восемнадцатый, бриллиантовый. М.; СПб., 2009. С. 447, 448.
3 Галерея драгоценностей Эрмитажа. Каталог выставки. М., 2006. С. 136.
4 Кузнецова Л. К. Указ. соч. С. 442.
5 Там же. С. 433, 434.
6 Зимин И. Указ. соч. С. 26—28.
7 Мосолов А. А. При дворе последнего императора. СПб.: Наука, 1992. С. 110.
8 Записки придворного бриллиантщика Позье о пребывании в России//Русская старина. Т. 1. 1870.

«Шедевры девятнадцатого столетия»

1 Зимин И. Указ. соч. С. 530.

Именной указатель

Содержание